JN120311

ジャパノラマ

1970年以降の日本の現代アート

長谷川祐子 編

JAPANORAMA

NEW VISION ON ART SINCE 1970

水声社

Centre
Pompidou-Metz

本書は、長谷川祐子がポンピドゥー・センター・メッスにてキュレーションした展覧会（会期：2017年10月20日～2018年3月5日、メッス市）にあたってポンピドゥー・センター・メッスよりフランス語で出版された*Japanorama. Nouveau regard sur la création contemporaine*に基づいています。

フランス語版初版テキスト：© Editions du Centre Pompidou-Metz, Metz, 2017.
日本語版テキスト：© éds. de la rose des vents – suiseisha, Tokio, 2021.
翻訳とオリジナル版の間には違いがある場合があります。

目次

ジャパノラマ
1970年以降の日本の現代アート

JAPANORAMA
NEW VISION ON ART SINCE 1970

はじめに

長谷川祐子

本書『ジャパノラマ――一九七〇年以降の日本の現代アート』は、二〇一七年に、パリのポンピドゥー・センターの分館であるポンピドゥー・メッス（メッス市）で開催された「ジャパノラマ」展（企画、長谷川祐子）のカタログ（フランス語で出版）の書籍版である。日仏十一人の執筆者によるテキストおよび、作家紹介、展覧会資料により構成される本書は、カタログを超えて、日本の現代美術と視覚文化を論じ、紹介する重要な文献の一つとなるといえよう。「ジャパノラマ」展は三カ月の会期で十万人を動員し、『ニューヨーク・タイムズ』の一面を飾るなど、高い評価を受けた。日本の現代アート史を紹介する展覧会はパリのポンピドゥー・センターで開催された「前衛芸術の日本 一九一〇―一九七〇」展（一九八六年）以来、三十年ぶりであり、同展のカタログはフランス語のみであったことを鑑みると、本展の内容が日本語、英語で紹介されることは資料的な価値も高いといえよう。

単なる「紹介、解説ではなく」ユニークな批評的観点から日本の現代アートについて各執筆者が論じたテキストは、複合的な文化背景をもつ日本の現代美術を、視覚文化、思想、政治社会的背景とかかわらせた、群島的な多様性をもっている。グローバル化の中で発信が遅れている日本の現代美術、視覚文化をどのように海外に紹介するのか――英語版の希望は海外から多く寄せられており、日本語版・英語版の出版は国内外の美術関係者、学生、研究者、また一般の美術愛好家の期待に応えるものである。本書の出版にあたり転載を快諾いただいた執筆者の皆様、ポンピドゥー・メッス、参加作家ほか図版提供者の皆様、編集協力の島田浩太朗さん、原田美緒さんには心から感謝を申し上げたい。ご助成いただいた、福武總一郎氏、大林剛氏が代表を務めるポンピドゥー友の会、シャネル社のリシャール・コラス氏に、文化のサポーターとしてのご厚意とご理解に、心から敬意を表したい。

本書を前ポンピドゥー・メッスの館長であり現パレ・ド・トーキョープレジデントの、エマ・ラヴィーニュ氏に捧げる。

フランス語版カタログへの序

［ポンピドゥー・センターおよびポンピドゥー・センター・メッス会長］**セルジュ・ラヴィーニュ**
［ポンピドゥー・センター・メッス館長］**エマ・ラヴィーニュ**

小説『沈黙博物館』で小川洋子は、世界の果てのある屋敷で職に就いた若き「博物館技師」の物語を語っています。彼はそこであらゆる展示の基盤となる記憶、その蓄積、妄執について思考を巡らせながら、さまざまな事物、日常生活の遺品、過ぎ行く時の痕跡を留めた収集品の目録をつくり、配置、展示しなければなりませんでした。東京都現代美術館（MOT）のキュレーター、芸術監督の長谷川祐子氏が主導した「ジャパノラマ」は、現代日本の創造活動の脈動を聴き、感じ取りながら見て回れる有機的、感覚的な展覧会です。絶え間ない活動で息づく芸術シーンと現在が躍動する場である金沢21世紀美術館の開設に参画した、経験豊かな「博物館技師」の長谷川祐子氏は、このたび日本の創造活動について既成概念に対抗する独自のパノラマを提供してくれました。まず今日の日本の芸術をはっきりと定義できる固有の実体として把握することは不可能です。一九七〇年代以降、日本の今日的〈視覚文化〉は、ファッション、建築、音楽、マンガやアニメ、舞台芸術との熱気をおびた対話を通して力強く顕現したのです。これはきわめて特殊な文化だったため、ただちに深く人を引きつけ魅了し、その状態は今なお続いています。一方、このような現代日本についてわれわれが知っているつもりになっているのは僅かなことであり、それは長谷川祐子氏がみごとな展示によって示した創造の実践とビジョンに見られるあふれんばかりの豊かさによってたちまち覆されてしまいます。この際立った多様性を踏まえ、現在の日本における芸術と社会との関係を理解するには、内部からの視線が必要でした。かくて彼女は、多くがフランスでの展示が初となる百十人以上の芸術家を精選し、SANAA事務所の建築家（妹島和世氏と西沢立衛氏）のご協力のもと、日本をイメージした列島形式の展示を、二つのフロアを使って組織することとなったのです。

本展は、ポンピドゥー・センターの歴史をつくった名高い催し物のシリーズに連なるものだけに、いっそう重要なものとなっています。一九八六年、当センターは「前衛芸術の日本　一九一〇―一九七〇」展を開催しました。多種多様な専門家のチームによって企画され、多岐の分野にわたったこの催しは、大いなる対話とも言うべき一連の展覧会、すなわち「パリ―ニューヨーク」展（一九七七年）、「パリ―ベルリン」展（一九七八年）、「パリ―モスクワ」展（一九七九年）、「パリ―パリ」展（一九八一年）を引き継ぐものでした。ポンピドゥー・センター・メッスはこの遺産に敬意を表し、去る九月の「ジャパン―ネス――一九四五年以降の日本の建築と都市計画」展開催を皮切りに「日本シーズン」を開幕しており、そのなかで「ジャパノラマ」は、「前衛芸術の日本」展が終点とした一九七〇年を起点と定め、その仕事を引き継ごうとしています。このように日仏二カ国間の真の友情が、月日の流れにつれ明確な形を現わしてきているのです。今日、ポンピドゥー・センター国立近代美術館が所蔵している日本人作家の作品は、千二百点を越えています。日本人建築家、坂茂氏がジャン・ド・ガスティーヌ氏と共同して設計したポンピドゥー・センター・メッスは、すでに二〇一六年、ギャラリーのひとつを使って芸術家の川俣正の展覧会を開催しております。また、ポンピドゥー・センター・メッスのチームによって企画された「日本シーズン」は、「ジャパノラマ」展で終わりというわけではありません。というのも、二〇一八年一月からギャラリーのひとつではデジタルアートの草分け的集団ダムタイプの個展が行われる一方、上演用スペースでは、舞踏、音楽、演劇で活躍する著名人を幾人か招待したインディペンデント・キュレーターのエマニュエル・ドゥ・モンガゾン氏立案によるすばらしいプログラムが用意されており、シーズンを通して日本的雰囲気で活気づくことになるでしょう。さらに本シーズンは、「ジャポニスム　二〇一八」という催しのプレリュードともなるはずです。この大型文化・芸術イベントの一環として、来年〔二〇一八年〕パリのポンピドゥー・センターでは、映画監督の河瀬直美の回顧特集、芸術家の池田亮司の展覧会その他が行われる予定になっています。

　というわけで、この友好の歴史は、素晴らしい芸術家の方々や東京都現代美術館（MOT）のような作品所蔵者の皆様のご協力のおかげで今なお続いており、また当館の長年のパートナーであり、「ジャパノラマ」展でも共催者となってくださった国際交流基金の変わらぬご支援に心よりお礼を申し上げたく思います。こうして共有された熱意と貴重な協力関係によって、ポンピドゥー・センター・メッスが、一シーズン中、日本列島の新陳代謝、すなわち磯崎新が次のように定義する〈間〉のコンセプトに貫かれた創造の不断の更新をご提示できることに大きな喜びを覚えます。磯崎氏によれば、「空間＝空＋間。〈間〉という言葉はもともと、『連続して存在する物と物との間に当然存在する間隔の意』であった。それが『物と物との中間の空隙、すきま』を指すに至った」のです。同様に、芸術家たちによる成果の豊かさに感謝したいと思います。それによって彼らの思考、感情、印象がひとつの記憶を起動し、活性化することになりました。この集団的な詩は、わたしたちのアイデンティティの見えないすきまに働きかけ、それを規定し意味づけながら、日本列島のパノラマの豊かな横断へと誘っているのです。

（訳・松田憲次郎）

変化しつづける群島──「ジャパノラマ」展が提案するもの

長谷川祐子

はじめに

日本は極東の島国でありながら、二〇〇〇年以上にわたる伝統文化をもち、一八九〇年代アジアの中でも早くから近代化され、言語を含んだ文化的な西洋による植民地化からは逃れながら自己の歴史を形成してきた、ある意味でユニークで特異な国である。〈伝統〉と〈最先端のテクノロジー〉が共存している国、ゆるやかな〈主体〉概念によって他者との共存、共生のバランスを調整する国。人間と自然の関係を、周囲を「とりまく環境としての〈自然〉」の定義を脱構築しつづけながら有機的に形成する国など、その姿は複合的で曖昧にも見える。

グローバリゼーションの中で、今日本にフォーカスする理由は複数挙げられる。二〇一七年秋に開催された本展が投げかけるのは、西洋による〈モダニズム〉の実験場であったこのアジアの一国が、〈断絶〉と〈先行きの見えない不確かさ〉という問題をかかえる現在のヨーロッパに対して、いかなる文化的な刺激や提案をあたえうるのかという問いである。近代化の実験はまず十九世紀末、鎖国からの開放と、〈革命〉ではなく〈復古〉という形でなされた。近代化の過程で二度の戦争を経て、一九四五年、二つの都市への原子爆弾の投下という大量破壊テクノロジーの実験台となる。アメリカの占領下で憲法も含めて多くの民主主義の実験がなされ、復興と産業化の急進的なモデルとなった。近代化の実験の中で、日本は独特のハイブリッド化をとげ、二つのものの間の往還、フュージョンという方法で生き抜き、対応し、現状に至っている。

その結果は、パラドックス、モザイク状の特徴としてあらわれている。先に述べた伝統とテクノロジーの共存にあるように。また、高度成長期に自然破壊をものともしなかった日本人の姿と、自然を賛美する姿のギャップは、分裂症的で矛盾して見える。日本研究家オギュスタン・ベルクは日本の「自然」の論理自体の中に、この原因を見出し、その「自然」はいわゆる自然環境だけをさすのではなく、そこには社会性が浸透し、社会も含めた一体としての調和の「自然」性の尊重のゆえにこの破壊を引き起こしたと分析している。(1)

1 「ジャパノラマ」展——次なるヴィジョン・群島として

このような捉えがたさもあって、日本の現代アートや視覚芸術が海外で通史的、概観的に展示されることは比較的少なかったといえる。フランスにおいて今までに開催された通史的な展覧会は、一九八六年、ポンピドゥー・センターで開催された「前衛芸術の日本　一九一〇―一九七〇」展である。これは、日本が欧米の前衛芸術から影響を受けてきたモダニズム表現が概観された重要な展覧会であった。これは、前衛という、西洋的なモダニズムの文脈に接続しやすい視点でまとめられたものであったといえよう。過去三十年欧米で紹介された通史的な日本展は主としてポスト・ウォーとしての一九七〇年代までのものが多かった。(2)これらはいずれも〈前衛〉にフォーカスしており、具体、実験工房、読売アンデパンダン、反芸術、一九七〇年代もの派という流れで定式化している。アンフォルメルや、反芸術運動、ダダなどの欧米のアートの文脈をアプロプリエイトしつつ、これらの欧米のイズムと日本の作家たちがどのように関わってきたかを分析することで、西洋とは異なる日本独自のモダニズムの展開を検証しようとすることが目的だった。一九九四年に企画された、戦後から一九九〇年代までを含んだ「戦後日本の前衛美術」展カタログの序章「Japanese art after 1945」でキュレーターのアレクサンドラ・モンローは、「この展覧会は、表現の源泉としての作家の個人的・文化的経験に焦点を当てながら、日本の作家が欧米の『イズム』とどのようにかかわってきたかを比較しながら示すものである」(3)と述べている。

本展「ジャパノラマ——一九七〇年以降の日本の現代アート」は、パリにおける「前衛芸術の日本」展を継承する形で、一九七〇年から二〇一七年の現在までを対象としている。「ジャパノラマ」というタイトルは日本の視覚芸術を、背景となる視覚文化も含めながらパノラマ的に概観するということからきており、「新たなヴィジョン」は、一九七〇年以降、日本が〈戦後〉に一旦終止符を打ち、独自の文化的アイデンティティを求めて歩み始めた時期にフォーカスしていること、それはある意味で〈次〉なる日本のイメージ、ヴィジョンを示唆するものであることを示している。〈ポスト前衛〉をいちはやく実現しはじめてしまった日本の経済の急成長とその挫折の過程で、実に多くの要素が混交し、現在に至った時代。この時代をアートとその他の視覚文化を含めた展覧会として構成するにあたり、キュレイトリアルの方法として、時系列ではなく、テーマ別に分類構成することとした。同時期にポンピドゥー・センター・メッスで開催される建築展「ジャパン―ネス」で示されるように、建築はモダニズムの文脈で国家的文化として形成をなしえ、構造的な展開をしてきた。これに対して、現代アートは包括的な理論や言説に貫かれる事なく、さまざまな文化や出来事、現実の状況と関係を持ちながら混沌としたままで展開をしてきた。見方を変えれば、欧米の美術史のように一貫した言説を形成し得なかったゆえに、多くのユニークな表現が生まれ得たということもできる。一方で、一九六〇年代までの作家たちのように、欧米のイズムに対してこれを批判的に脱構築するという明確な立場すらとれない〈ポスト前衛〉のアーティストたちにとって、そこから独自に何かを〈アート〉の名のもとに作り上げることは容易でない場合が多かった。自らの企画展「リトルボーイ」に続き、「スーパーフラット」で日本の文化、社会体制への批評と新視点を提案した村上隆は、「スーパーフラット日本美術論」で日本、アートといった言葉の拠り所、設定が定かでないところで制作をすることの困難さを語っている。

私が作品を制作している理由は、非論理的ではあるけれど〝奇跡的な瞬間〟を捕まえる準備として未分化な文脈を作品内で統合させたいため、それを私の頭の整理棚に寸分違わぬ形で収納したいためだ。しかしその収納棚の「日本」という部分がどうにも形作れない。本当の「私」に出会えない。私達の「ART」とは何なのか探り出すには至らない。(4)

そこで彼は言葉でわりきれない堂々巡りをやめ、コンピュータ・グラフィックのデザインのプロセスよろしく、画像を並べ、一枚ずつのウインドウを何枚も立ち上げ、それらが一気に結合した瞬間にみえた風景を「スーパーフラット」

として、日本のアートを説明しようとするのだ。

国際的に活動しているコンセプチュアル・アーティストの田中功起も、同様に、日本において「『美術史』がアーティスト共通の土台として存在し、その前提に立って制作しているとは思えなかった[5]」とその土台の希薄さを語っている。

2 ユニークな〈身体〉と〈主体〉概念が導く六つのテーマ——群島として

美術史という〈共通の土台〉でなく、表現活動の〈土台〉、〈拠り所〉を個々独自に探究し、新たな創造に辿り着いた作家たちの実践、あるいはデザインや建築など他のジャンルとのクロスボーダーを可能にした〈触媒〉として、日本人特有の二つの要素を挙げることができるだろう。一つめは〈独特の身体性〉、二つめが〈ゆるやかな主体〉のあり方である。

まず〈身体性〉という特徴をみてみよう。日本人は、自らをとりまく現実や環境に直接に敏感に反応する。身体体験を通して知が生産されていく〈身体知〉、そして物質—非物質、フィジカル—ヴァーチャルの境界を超えて、同じ密度と強度で外界（環境）を感じるセンサーをもつ傾向がある。モノや空間へのストレートな身体の反応は「具体」や「もの派」の表現行為に現れている。そして身体をとりまく雰囲気や環境に対する繊細で複雑な身体の反応は例えば「舞踏」に見ることができる。建築においては、モダニズムの取り込みと折衷という〈演習〉が終わった後、ポストモダン期を経て、一九九〇年代、ストレートに状況を読み取り、独自の建築のプログラムに翻訳する身体性が現れた。

一九九〇年代以降イデオロギーが希薄になっていく世界の中、その代替となる批評の基準を体験や出来事、身体に求めていく傾向が強まった。伊東豊雄が妹島和世を評した以下の言葉はそのターニングポイントを明示している。

既存の社会のしがらみに組み込まれていない喜楽さと奔放さが慣習に捉われずに社会の現実を射抜く的確さを彼女〔妹島〕にあたえている。図式化の作業は多くの建築家の試みのような観念的なものでなく、現実を自由に生きる彼女の身体そのものが描く行為なのである。イデオロギーが無効になった今日の社会では、そうした身体化され、現実そのものを何の迂回路も経ずにストレートに図式化する行為が最大限の批評性をもつようになる。(6)

これは妹島固有の身体論を超えて、一九九〇年代身体化された行為が、新たな可能性や見落とされてきた価値を見出す契機となることを示している。

身体知や感度の高さは、特別な事象に対してだけではなく、日常生活の中においても発揮される。茶の湯や生け花などふるまいの美学、着物や日用品などに高い美意識がみられ、生活と美学の一体化ゆえに、近代以前は純粋芸術と応用芸術という区別はなかった。その歴史を継いで、日本ではハイカルチャーとロウカルチャーの区別がゆるやかで、あらゆる文化的事象を同一面に水平において見る傾向がある。それが独自のポップアートの展開にもつながったといえる。石子順造は、「芸術と呼ぶ必要も呼ばれる必要もない表現が、生活者の身体性ともいうべき『歴史』の一様式としてさまざまに開花している」(7)とし、雑多な市井の視覚文化の中にあるものの可能性に向けられた開かれた態度が身体を媒介としていることを指摘している。

芸術社会学者のデリック・ドゥ・ケルコフは日本人にとっては西洋式のなにもない空間という概念には馴染みがなく、伝統的な日本文化では空間は空っぽであったことはない、として次のように述べる。

> 日本人にとって、空間は連続した流れで、相互作用で活気づき、間合い《タイミング》と歩み《ペーシング》の繊細な感覚で規定されている。これこそが「間」である。〔……〕日本人にとっての「間」は、人と事物に関わる複雑なネットワーク全体を意味している。(8)

続いてケルコフはフランス人の日本専門家のミシェル・ランダムを引用しつつ、〈間〉が和音のように美しい共鳴を生み出すための間合いを測る感覚として、あらゆるものの背後にあることを強調するのである。ケルコフはこの〈間〉

の概念を電子テクノロジーのネットワークにある電子的な〈間〉に、有効に適用できると考える。心とテクノロジー、人間とマシンの相互作用を活性化し、断絶を埋める〈電子的な間合い〉はインターフェイスパターンの探求や創造に貢献する。これは日本のメディア作家やデザイナーが得意とする部分である。身体と感覚と知を総合的につなぐ意味のネットワークとしての間は、主体間にあり、外部と内部の重なり合う場として、主体と外部の境界を曖昧なものにしている。これはゆるやかな主体性につながっていく。

二つめは、独特の〈主体〉のあり方である。日本における〈主体〉は、西洋のように「思考による世界の再構築」の出発点ではなく、自己と他者の境界によって明確に隔てられてもいない。それは周囲と関係しながら規定される〈ゆるやかな主体性〉とも呼びうるものなのである。

クロード・レヴィ＝ストロースは、日本人は「主体を、原因ではなく一つの結果にする」という。「主体に関して西洋哲学は遠心的」で、すべてがそこから発するのに対して、「日本的思考が主体を思い描くやり方は、むしろ求心的」であるとする。レヴィ＝ストロースは例として日本の統辞法を挙げる。一般的なものから特殊なものへ限定することによって文章を構成するのと同じく、日本人の思考は、主体を最後に置く。主体は自らの帰属を映し出す最終的な場となる。これは主体を外側から構築するやり方であり、家族や職業集団、地理的環境、そして国や社会における地位によって自分を規定する強い傾向がある。東洋思想にある〈主体の拒否〉や〈無我〉ではなく、特殊な形で主体を実体化させることで、社会構造の中での個、〈ゆるやかな主体〉としての自我意識を存在させたのである。レヴィ＝ストロースはさらに、日本人が西洋的なロゴスや言説を拒否するのではなく、自分に合うものを取捨選択したことを評価する。「科学的認識や、直観や経験や実践を重んじる態度」（丸山眞男）にそれが表われており、一つの論理的必然に自然現象や人間行為が依っているという考えをとらない。これらの独自のポジショニングが文化の独自性に結びついていると分析する。[9]

一方オギュスタン・ベルクは、このゆるやかさを人間と「自然」（これは広義の自然的なもの、気分や雰囲気や風土を含む）との共同的な一体性、フュージョンの視点から分析する。環境が主体となりうるという表現すら用いている。彼は言う。「彼らの文化が個別の主体をその環境から抽出するのを嫌い、したがって（自然という）より大きな主体の召喚に対して、主体を相対的に開かれたものとしている」[10] 場所的な次元と、事物との強い関係が結果としてそこに伴っていき、それが文化に現れてくるのだ。外部と内部、社会と個人、他者と自己の境界が曖昧なこの国の精神的風土は、「表現」を、表現という意味においては、脆弱化させ、対象の分析を可能にする、自己との距離を無化しがちである。日本において「私的である」ということはどのような意味をもつのか。西洋的な、歴史と文学の関係を断って、〝私〟に向かっていった日本近代の私小説に端を発する独自の主観性、〈私性〉は、私的でありながら、その強い求心性と特異な内面的観照によって、かえって表現としては普遍的な強さを帯びる。あたかも個人の意思がヴァイブレートしてその場に浸透し、一つの磁場をつくってしまうかのように。

　そして主体は、〈人間〉を超えた拡張概念でもある。人新世（Anthropocene）[11]が警告される中、西洋近代の主体―客体の二元論、自然と社会を分離する人間中心主義がもたらした問題は深刻化している。アジアの脱人間中心主義やアニミズムに対する再評価や概念のアップデートへの期待は大きい。人と非人間（モノや動植物など）を同一の地平に価値づける事で、人間と環境の関係を調整することへの提案。日本の作家たちの、身体とモノ（情報やテクノロジー、メディア）を有機的、一体的に扱う傾向は、モノのデザインや、情報の取得や解釈を通して、環境や状況との新たな交渉のあり方、共存のあり方を示唆している。

「ジャパノラマ」展は、二つの「触媒」要素の交錯をみえる形にしながら、アートと建築、デザイン（ファッション含む）、音楽、マンガなどのサブカルチャーをそれぞれの時代意識とリアルが浮かび上がるように関係づけて構成される。本展は視覚表現の特徴をこの二つの要素にそって整理し、六つのコンセプト――テーマにまとめ、それぞれが島のように、列島（アーキペラゴ）として有機的なつながりをもって構成されている。それが「A．奇妙なオブジェ・身体――ポストヒューマン」、「B．八〇年代以前のポップとそれ以降」、「C．協働、参加性、共有」、「D．ポリティクスを超えるポエティクス」、「E．やわらかで浮遊する主体性・極私的ドキュメンタリー」、「F．物質の関係性・還元主義」である。このコンセプトを明快に示すためのレファランスとして一九七〇年代以前の作品も含まれている。

　この六つのテーマは、日本の現代アート、文化に対して、過去の海外の批評的言説の中で頻出する用語の〈記号性〉を意図的に抽出している。ロゴス主体で構築されている文化圏で、ロゴスを超えた日本の芸術表現を伝えるにあたり、象徴的な記号を導入の枠組みにすることで観客に導入のきっかけを与えつつ、自由な解釈を促すことを意図した。島々、という比喩は日本が群島であることに由来する。海に浮かぶそれぞれの島には独自の生態系があり、それらがある部分では有機的に関係し、作用し合っている。例えば「C島（協働）」と「E島（私性）」は対極の概念にみえながら、〈求心性〉と〈他者への開かれ〉の共存を示している。「A島（身体）」と「F島（物質）」は身体と日本独自の〈間〉という空間概念との、わかちがたい関係のもとに理解される。

それぞれの〈島〉の意味の関係性は、展示空間構成と作品のコンステレーションによって示されている。以下簡単に概観してみよう。まず本展の始まりである、「A．奇妙なオブジェ・身体――ポストヒューマン」と最後の「F．物質の関係性・還元主義」は、日本独自の空間概念である〈間〉を含んでおり、強い関係性がある。ケルコフが指摘した、周囲をとりまくメディアやテクノロジーに対してダイレクトに反応していく特別な感度は、「間合いをはかる感度」として「F島」のもの派の物《もの》と物《もの》との関係の形成、そして池田亮司や宮島達男のデジタルの記号の物質性や振動に満ちた〈間〉につながる。

「B．八〇年代以前のポップとそれ以降」は石子順造が指摘するように、生活者の身体性を含めた、日常的なものとの美学的な関わりから、身の回りのものすべて、日用品や廃棄物、ポップカルチャーのアイコンなど変容させてしまう装置としてのポップアートの多様さと複雑さを含む。「B島」は、変化する視覚的環境への、身体と感性のアクティヴ反応を、洗練された形《フォーム》におとしこんでいく〈デザイン〉の美学を顕在化させることも意図している。

そして二つめの触媒要素である〈主体〉においては、ゆるやかな主体性概念を検証する、「C．協働、参加性、共有」と「E．やわらかで浮遊する主体性・極私的ドキュメンタリー」が対となっている。日本において〃私的〃であるということはどのような意味をもつのか。自己と他者は分離せず、集団的意識の磁場のなかに自己が拡張的に存在しえてしまう。それゆえに極私的でありながらその表現が強いインパクトを持ちうる。「E島」は『プロヴォーク』にはじまる主観主義写真や私的な記録写真や映像をとりあげる。

この磁場の共有は一見「E島」と対照的な「C島」の〈協働〉に通底する。六〇年代のフルクサスの作家と二〇〇〇年代の、社会とかかわる《ソーシャル・エンゲイジド》コンセプチュアルな作家たちが組み合わされている。観客参加や協働は、単純な集団主義ではなく、より自覚的な相互依存、関わりを意味する。オノ・ヨーコは日常生活における単純で習慣的な行為と、芸術との関係の探究として、「インストラクション」という他者によって再演されるスコアをつくった。田中功起は、他者の体験をどのように共有するかというテーマで、協働的構築的な実験パフォーマンスを行う。その状況設定の巧みで繊細な構築性は、不可視の共創の場を可視化させる。いずれも共感、共生、共創の提案がゆるやかな個人主義に基づきなされている。

同じ流れにありながら、最も既存の概念の枠にはまらないのが、「D．ポリティクスを超えるポエティクス」であろう。日本の現代アートにおいて最も見えにくい部分が、政治性社会性をもったアートであるとよく言われる。非論理的でゆるやかな主体性は、ロゴスより感性や感覚重視であるため、批評性や弁証法的な分析態度が欠落しているように見えてしまう。「かわいい」（無垢、素朴）と評される表現の背後に、社会的抵抗やステイトメントが含まれている。それはロゴス的な空間では記号として見えにくいが、日本における表現のポリティクスの独自のありかたをハイライトするためにこの島を設けた。

3

一九七〇年から現在までの流れ

本展は一九七〇年を一つの契機としている。一九七〇年は大阪万博の開催年であり、日本は戦後モダニズムの一つの頂点を迎えていた。同時代のコンセプチュアルな現代作家を含んだ国際展「人間と物質」展（企画、中原佑介）が東京で開催されたのも同年である。それは「戦後」体制から日本が脱却する移行期の始まりだった。欧米の〈前衛〉の文化的影響からの自立である。一九五〇、六〇年代は戦後の開放期、前衛や反芸術の名前のもとにさまざまな実験が、ある意味、自由な解釈によって実践された時期といえる。それはヴィジュアルスキャンダルとしてメディアの美術欄より社会欄をにぎわせた。本書掲載の三木の論考にあるように、万博には多くの前衛芸術家が参加し、古代と現代、伝統とテクノロジーを結ぶなど領域横断的な試みが多く行われた。一方でこれに対する反博運動が起こり、万博後、参加作家がこの事実をタブー化するなど交錯した結果が残った。これは〈芸術〉が〈祭り〉の中に吸収された象徴的なイベントであり、その後、〈芸術〉、〈文化〉の性質は少しずつ変わり始めたといえよう。

オイルショックがあり、沈静化した七〇年代。反芸術を否定して、相対化する流れは内面化し、還元主義につながった。アートで言えば、物質を還元する「もの派」と、概念を還元する「日本概念派」であり、欧米の芸術理論や主流から距離をおいて自己文化の形成を目指した。知覚に対する実験とものの関係への好奇心から始まった「もの派」は存在論的な疑問をつきつけた。素材―モノに人間の意図を反映させるのではなく、素材自体に語らせるという思想は、京都大学の湯川秀樹教室で理論物理学を学んだ中原による「人間と物質」展のコンセプトとつながるものであった。

日本が東京を中心とするポストモダンの未来的文化国家として世界の文化地図に浮上したのは一九八〇年代である。バブルとも呼ばれる経済的豊かさ、消費文化との強い関係のもとでサブカルチャー、アート、アカデミックな思想が、文化という名のもとに同じレベルで相互交流し、表層的で記号的な戯れ、浮遊する文化が生まれた。一九七九年、YMO（イエロー・マジック・オーケストラ）結成によるテクノポップの台頭、一九八一年、川久保玲のパリコレにおける「黒の衝撃」。脱構築やリミックスという方法をとりながら、圧倒的な個性でたちあがった八〇年代のYMOは、ポストヒューマンとしての非人間的な身体とデジタルとのハイブリッド、アジアと西洋の記号的な融合を〝可愛らしさ〟でスタイライズした。川久保は西洋の身体像に対して、弁証法的で革新的な脱構築をおこない、新たな身体像を提案した。その過程には、戦後をひきずっていた身体性と感情の澱を浄化し、リセットする、新しさがあった。西武グループの文化と消費社会を結びつける戦略の中で、グラフィック・デザイナーがアートに参入、広告のヴィジュアルインパクトは形而上学的問題や社会問題を飲み込んだ。ここで従来あった〈美術史〉という土台の共有が崩れ、領域横断的な水平なプラットフォームが出現した。八〇年代の文化はある意味で、自己を他者との差異によって顕示することを〈クリエイティヴ〉とみなす、自意識過剰の時代といえる。本書掲載の宮沢による八〇年代論はこの時代に生産された〈情報〉の空疎さを指摘すると同時に、文化的なオリジナリティの成果を高く評価する。そして九〇年から現在までの日本の視覚文化のキーワードの一つ〈おたく〉から〈オタク〉へ、身体論の移行が起こるのである。そしてサブカルチャーはハイに対するサブではなくなり、「サブカル」という独立した文化の呼称となる。つまりハイ／ロウカルチャーというヒエラルキーも消失するのである。

一九九〇年代はバブルの崩壊―不況によって、明日の見えない不安定さ、停滞した曖昧な空気感の中で、若者たちは記号化されえないストレートなリアルを模索する。一方でそれは無意識過剰といわれるほどフラットな個人をつくりだした。不安定さ、曖昧さは生のあやうさ、はかなさと希望があいまって、透明感や、フラジャイルな形態の表現として現れる。イデオロギーや心の拠り所の不在。九〇年代前半、ホンマタカシの郊外の写真はその透明で、ニュートラル、しかしストレートな視点において、被写体のあるがままの存在の可能性を全開させようとする。妹島和世の従来の文法を逸脱した建築は、パブリックとプライヴェートの領域を柔らかく横断する空間の中で、人々に意味やプログラムの決定を委ねる。一方でネオポップと呼ばれる、村上隆などのアニメやフィギュアのイメージの流用、そして近世の美術史への参照は、スペクタクルで、強い言説性をもちながら、環境問題や政治社会状況の混沌からくる心理的・病理的な不安、影を反映している。アニメやゲーム、フィギュアなどを中心としたオタク文化が病的なほどの深化と多様な変化をとげ、彼らの世界観に媒介されて生まれたアニメが二〇一〇年代からクールジャパンとして世界を席巻するようになる。オタク現象は、ガラパゴス化の傾向をたえず内在させているこの国から生まれた。しかしそれは、二十世紀末から徐々に蔓延してきた生存の不安、サヴァイヴァルへの切迫した危機意識にもとづいた自己防衛の一つとみることもできる。オタク文化は自己言及的で閉鎖的、分断的な面をもつ一方で、その突出したマニアックなトピックの共有により、現代的な問題にアクセスするオルターナティヴな視覚的コミュニケーションの回路をもたらしたともいえる。結果、マンガやアニメ、ゲームを通してオタク文化は世界中に波及した。

九〇年代の後半は、一九九五年の阪神・淡路大震災、地下鉄サリン事件の後、人々は〈大きな政治や社会〉へ懐疑を抱き、相互扶助の小さなコミュニケーションをより重視するようになる。個人的で日常的なささやかな表現に移行する。そこでは個人の感情や自意識を、即興やアマチュアリズムを通して表現することを通して、コミュニケーションの媒介となる象徴や想像力の領域を再生させようとした。写真、ヴィデオ、ドローイング、パフォーマンスなどの身体感覚と直接につながりやすい表現方法が多く現れる。各人が個人または小さなコミュニティのレベルで社会にコミットしていくポリティクス。大きな変化や改革をもとめるのではなく、主体と客体、内と外のやわらかで自由な越境を通して、目の前の可能性を探っていく方向は現在も続いている。これは私的写真、セルフドキュメンタリーに代表される映像、プログラム建築、ナラティヴを内包したファッションなどあらゆる表現のジャンルに共通している。二〇一一年の3・11のあと、作家たちの社会的なコミットメントの度合いは増大している。本書掲載の毛利のテキストにあるように、SNSの活用やアクティヴィスト的な活動が情報の分析と実践の決定のプログラム、コミュニケーションなどの情動のプログラミングに大きく関わっている。作家の田中功起が述べるように[12]、3・11によって美術史以上に重大な民主主義の問題ともいえる、共通の〈土台〉が出現したともいえる。一方でグローバル経済の下、クリエイティヴ・インダストリーの名のもとにアートをプロダクト化する傾向は増大しており、そこにはクリティカルな葛藤、交渉がある。デジタル環境から生まれた情報と物質を融合させるニュー・マテリアリズムを代表する名和晃平やライゾマティクスは、情報産業資本とアートの領域の間を、方向を模索しつつ往還している。

4 結びにかえて

本展は、「禅やかわいい」といったありきたりの記号的理解を超えた、奥行きをもった多様な感性や知のあり方の総体、独特な文化の構造のモデルとしての日本の現代芸術、視覚文化の理解を与えることを意図している。中心のない、体系の軸となる文脈の見えない、個性的な群島は、絶えず形や関係を変えながら、〈現在〉に対して反応し、作用し、〈過去〉を〈未来〉を柔軟に活用している。流動的な大地の上で、不確かな立脚点を確認、修復しつづける過程で、さまざまなものとの関係やネットワークが生じ、それが〈アートの領域〉、〈美術史〉、〈文化の価値〉などの既存の枠を書き換えていく。島々において、アートは時々の環境や状況に対して作用し、精神的、心理的に共有されるシンボルとして機能する。従ってハイ、ロウやジャンルの区別は意味をなさない。時を超えて歴史に残る作品も〈歴史〉の中で記述されることで完結するというよりは、常に現在の中でその価値を検証され、見出されることを求められる。

不確実な時代、価値観や文化が多様化している時代において、イデアルな概念でなく身体的なリアリティや知を重要視し、非人間的なもの——モノや情報、動植物などと開かれた関係を形成するゆるやかな主体のあり方は、グローバル文化の指導的なモデルではなく、たえまなくそこに立ち戻ることで、別の視点を獲得させてくれる刺激的な島、新たな規範を生産しつづける媒介となる磁場としての〈意味〉をもっているのだ。

危機の時代を共有する我々は、文化の循環、交換によって生み出す文化のエコロジーに、それぞれの立ち位置から寄与すべきである。本展は、グローバルの多文化ネットワークの中で、現代の日本がもつ視覚文化の資源と可能性を人々に活用してもらうためのインデックスを呈示する。

註

（1）オギュスタン・ベルク（篠田勝英訳）『風土の日本――自然と文化の通態』ちくま学芸文庫、一九九二年、二六二頁。

（2）一九八五年オックスフォード近代美術館「再構成：日本の前衛一九四五―六五」、一九九四―九五年に横浜美術館、グッゲンハイム美術館、サンフランシスコ近代美術館に巡回した「戦後日本の前衛美術 Japanese Art After 1945: Scream Against the Sky」、二〇一五年のニューヨーク近代美術館における「Tokyo 1955-1970 a New Avande-garde」がその例である。

（3）アレクサンドラ・モンロー（山田篤美訳）「Japanese art after 1945」『戦後日本の前衛美術』横浜美術館、一九九四年、一五頁。

（4）村上隆『SUPERFLAT』マドラ出版株式会社、二〇〇〇年、一二頁。

（5）二〇一七年七月、田中功起と筆者との談話より。

（6）Toyo Ito, "Diagram archicture," Kazuyo Sejima 1988-1996, monographic issue of El croquis, 77(I), 1996, pp.22-23. 一九九六年、「エル・クロッキー」に執筆したもの。

（7）石子順造、上杉義隆、松岡正剛『キッチュ――まがいものの時代』ダイヤモンド社、一九七一年、三〇二頁。

（8）デリック・ドゥ・ケルコフ（片岡みい子・中沢豊訳）『ポストメディア論――結合知に向けて』ＮＴＴ出版、一九九九年、二〇〇―二〇一頁。

（9）クロード・レヴィ＝ストロース（川田順造訳）『月の裏側　日本文化への視角』中央公論新社、二〇一四年、三八頁。

（10）ベルク、前掲書、三七四頁。

（11）「人新世」は、完新世の次の地質時代を表す、「人類の時代」という意味の新しい時代区分。産業革命以後の約二百年間に森林破壊や大気汚染など、人類が地球の生態系や気候に大きな影響を及ぼすようになった時代がデフォルトとなってしまったことを共有することで、人間中心主義の西洋的合理主義、資本主義のありかたに対する批判と修正を促す。

（12）二〇一七年、田中功起と筆者との談話より。

六つのコンセプトからなる群島

長谷川祐子

A島　奇妙なオブジェ・身体──ポストヒューマン

戦後、独自の文化的アイデンティティを模索する過程で、身体性はユニークな形で表現に反映された。外部をセンシングし、ダイレクトに反応する、既存の知識やイメージを、身体の回路を使って新たなものに更新するシステム、変容をいとわない個のアイデンティティや身体の開放など。神話、動物、怪物、ロボット、他者（他文化）、非物質的なエネルギーや情報との交換と融合──この「A島」では実に多様なレベルの身体性の展開と表現をみることができる。

具体にはじまり、ネオダダ、そして舞踏と、これらの表現からは、人間以外の要素と有機的につながる開かれた身体性が感じられる。土着的でシュール、グロテスクともみえる奇妙な身体パフォーマンスやオブジェは、ポストヒューマン的な身体表現の前身といえる。これらは八〇年代のポストモダンにおいて、テクノポップやメディアアート、ファッションなど、非物質的、断片的、遊戯的で脱構築的な身体につながった。その後、デジタル環境の進化の中でさらに情報化、非物質化は進み、デジタルと身体の有機的なフュージョンは未来的な展開をとげる。

一方、反体制的で批評性をもった身体は後退し、より現実肯定的で、テクノロジーの進化を美学的に最適化した形でプログラム化された身体に移行しつつある。また、クラウドスペースで共有される情報、モノや動物、大地＝自然などに基づいた集合意識は新しい身体のメタファーとして現れている。

1

予言的、アレゴリーとしての奇妙な身体

一枚の写真がその強烈なインパクトで「ダンサーの身体」の意味を変えてしまった。土方巽の「肉体の叛乱」の一場面である。土方は、「布がけで突っ立った死体」と定義した。その踊りは醜悪さと過剰、土着の暗闇と空気を振動させる情念とで、西欧世界をも飲み込んだ。蟹股、短足といった日本人の身体性にこだわりつくられた〈奇妙な美〉は全く新しい規範となった。戦中戦後を通じて生じた精神や文化の破壊を見つめ、そのトラウマを全身で受け止めた身体は、神経系が切断され、全く別の回路がつながって動いているかのような非―人間的、超人的な動きと気配を生み出した。

嶋本昭三の絵画の、アシンメトリーに開けられた穴は、「具体」の特徴である、生々しい行為の跡を感じさせながら、未知の美を覗く眼差しの裂け目のように見える。工藤哲巳の乳母車は、放射能汚染によって異化されたオブジェとそれと一体になった変異の身体のメタファーである。これは警告であり、避けがたい変異に対して、官能的にこれを受け止める身体の詩である。工藤の庭や鳥かごのシリーズが今も鮮烈なアレゴリーの喚起力をもつのは、現代の「ダークエコロジー」[1]の問題意識を先取りしているからであろう。洗濯バサミを奇妙なオブジェとして、市中にウイルスのように感染、攪拌しようとする中西夏之の洗濯バサミの男も同様である。

一九五二年、他の具体の作家たちが泥や紙など具体的なモノと格闘しているのに対し、田中敦子だけが電気や光、音などの非物質的な要素を用いた。エナメル塗料で塗り分けられ、電球と管球で作った《電気服》、その明滅を着たとき、《電気服》は彼女のメタフォリカルな身体となり、電気から光へのエネルギー変換は彼女の身体の生体循環と共振した。田中はこの身体体験をその後、円と線のみを抽象絵画として絵画化して終生反芻した。同心円とそれらをつなぐネットワーク、現在のネット社会につながる未来的な作品を田中は一九五〇年代に構想したのである。

未来の肉体とファッションの関係をみせるのは川久保玲である。《ボディ・ミーツ・ドレス、ドレス・ミーツ・ボディ》(一九九七年春夏、通称こぶドレス)、お尻や肩にこぶのついたドレスは、従来の理想的な肉体に対する挑発であり、奇形の身体の美の提案――奇妙なオブジェとしての身体とドレスの出会いを挑発するものだった。コム・デ・ギャルソンは消費行為をある種のイデオロギーに変えたといってよい。一九七〇年代後半、アートにおいて視覚的フォームが言

説に置換されていった過程に同調するかのように、コム・デ・ギャルソンは、身体を使ってファッションの言説化を試みた。クレイグ・オーウェンスは、断片的で不完全であっても、そこから何か別のものを通してある一つの意味を読み取る作用を「アレゴリー」と呼んだ[2]。別のテキストを通して読まれる新たな意味をもつテキスト。これはそのままコム・デ・ギャルソンのステイトメントに結びつけることができる。「あなたが今までに見たもの。繰り返されたものではない、鮮烈で自由な未来に向けての新しい発見。これこそがコム・デ・ギャルソンの新しい服作りのアプローチ[3]」。川久保は既存の西洋的な服作りに対して言説的な脱構築を行う。彼女は過去を否定するのではなく、オルタナティヴな選択肢を加算していくのだ。加算された選択肢を選び、身につけたクライアント自身によって〈新しいテキスト〉は作られていく。これらの奇妙な身体—欠落、醜悪さ、断片的あるいは不完全ゆえに、新たな身体性—人間性を想像させるアレゴリカルな力をもちえた。

2
メタモルフォセス

日本人の変身への関心の高さは、多くのコスプレや、変身ヒーロー、歌舞伎や宝塚歌劇にも見られる。一九八〇年代、泰西名画の絵の中の人物に自分がなりかわり、セルフポートレイトとして制作したのが森村泰昌である。対象に憧れ、それと一体になる方法の一つとして、対象の模倣がある。森村は自身の身体を用いて、それを活人画よろしく衣装メイク、背景もすべて制作する。彼は人間だけでなく、セザンヌの絵のりんごになったり、あらゆるものと一体化する。それは対象の一部となることで自分を異化し、同時に対象も異化するという、接合（conjugate）の過程であり、愛情を込めた批評行為といえる。彼の存在を明証するのは作品中の〈眼〉の生々しさである。二十世紀の歴史的人物をテーマにしたシリーズでは〈近代史〉の批評に挑戦している。

森万里子の《巫女の祈り》は、エイリアン（作家自身）として地上に降り立った未来のシャーマンと〈現代の日本〉の邂逅を見せている。関西空港の未来的空間を背景に〈未来性〉とシャーマニズムを森はアイロニカルに風景化するのである。ロンドンのRCAなどで数学とクリティカル・デザインを学んだスプツニ子！は、女性の生理を体験したいあまりに生理体験マシンを発明、これを装着して女装して街にでる青年「タカシ」を演じる。ジェンダーを二転させることで、従来のジェンダーにまつわる社会的政治的な批判と無関係に、〈体験〉というリアルな中核に切り込む、そして装置にメタモルフォセスを代替させる彼女の新しい身体観は、何にでもなれるという森村の求心性を、誰でもがなりうるというクラウドスペースの拡散性に転換するのだ。

3

擬態、義肢、断片、皮膚——そして消失する身体

一九八〇年代はポストモダンとともに、分裂的、ノンセンスで遊戯的、ハイブリッドで擬人的な彫刻があらわれた。中原浩大の彫刻《ビリジアンアダプター+コウダイノモルフォII》は身体の一部脳神経系と眼球だけがとりだされ、肥大化させられ、しかも編物という柔軟な素材によって空間に広がっている。ドゥルーズのリゾームを思わせる形状は、感覚の〈異様〉に接続するようにみえる。中原は「もちもの」、という概念のもとに、私的で身体的なつながりを作品に込めている。

一九九〇年代後半のリアルの不確かさと浮遊する身体感覚を彫刻と映像で表したのが小谷元彦である。彼はヴァーチャルとリアルの間の葛藤を、物質に受肉させるという彫刻のありかたを探求することで、表現しようとした。タイトル《ファントム・リム》(一九九七年)は、失ったはずの手に痛みなどの感覚を感じるという精神分析の用語である。手を失ったかにみえる少女は全て"in between"の状態、どっちつかずの状態にある。目覚めと覚醒、女と子供(未分化の性)、浮遊と着地、喪失と存在……。髪の毛のドレスも(身体の部分である)髪の毛がバロック彫刻の表面のように、絡み合い波打ち、その触感だけで構成された、身体そのものが消滅した彫刻となっている。

毛利悠子は楽器を含めたファウンド・オブジェを有機的につなげる。エリック・サティの「壁紙の音楽」から着想した、壁紙という空間要素をセンサーでよみとり、楽器やオブジェを動かすなど、周囲の環境をセンシングし、反応を作品化する。人間が消滅したあとのモノたちの世界。〈ポストヒューマン〉の身体ヴィジョンともいえる。

4

デジタル化とポストヒューマン

一九八〇年代はバブル経済の中、テクノロジーの発達と高度情報化社会を迎えた。この状況に対して、テクノロジーを創造的かつ批評的に活用し、新たな人間像を提案したのが、マルチ・メディア・アーティストグループ、ダムタイプ（一九八四年—）と、坂本龍一、細野晴臣、高橋幸宏によって結成された音楽グループ、YMO（イエロー・マジック・オーケストラ）（一九七八年—）である。自己のもつ情報への過信への批判を、ダムタイプは「ダム」、言葉の欠損という形で行った。テキストを含んだ映像、音、光を発する機械的な空間装置、これらに反応する生身の身体パフォーマンスでこれに替えたのである。日々生じてしまう世界との関係性、出会い、支配、権力などに我々は日常の時間軸では気がつかない。ダムタイプは、映像や音など総合的な知覚要素の精緻なプログラムをセノグラフィーとしての空間インスタレーションで走らせ、「ミニマルな反復」と「ショック・突発性」によって日常に揺さぶりをかけた。空間全体を巨大なコピーマシンにみたて、パフォーマーの身体をスキャンする《pH》。電子音とホワイトアウトする光の空間に生と死の間を扱う《OR》。それらは「境界」をセンサリングし、意識を覚醒させ、関係性への認識に導く。パフォーマーの生身の身体は機械とデジタル空間の中でそのずれや矛盾、脆弱さをあらわにしていく。機械と身体の関係を、感覚や意識のレヴェルで探求した、先鋭的な表現活動がここから始まった。

YMOはテクノポップの創始者であり、シンセサイザーやコンピュータなどの新しいテクノロジーを駆使することによって、それまで細野が追求していたエキゾチックでアジア的な音楽性を、異なる方向へ、新たな段階へと進化させた。そのミニマルな非身体性、汗の匂いと無縁の清潔感は、反権力的な熱血の六〇年代との離別であり、リセットのための通過儀礼ととれる。テクノポップの聴衆は、互いに触れあうことなくリズムにのっているが、ともに音の波動に満ちた空間に身をゆだねている。そこには一人一人自立した〈個〉があり、レゾナンスしつつ時間を共有する洗練された共感がある。白でも黒でもない中間——Yellow の文化——ミニマルで非表現的な形式の中に感情の熱さが温度調整されている。彼等の〈非身体性〉はクラフトワーク（ドイツのテクノグループ）のような硬質なそれではなく、やわらかで有機的だ。コンピュータと身体、デジタルとフィジカルの境界を親和的に融合する、筋肉ではなく神経が自然にケーブルに接続されているような神秘的でキュートな身体。それは日本特有のデジタルと人間の間の柔らかな「コモンズ（入会地）」を先取りしていた。

二〇一〇年代デジタルとフィジカルの間に存在する未来的なポストヒューマン――メディア化された身体性として音楽グループ、パフュームが現われる。現実空間の中にデジタルモザイクとして自在に混入していくような甘やかな身体イメージ。デジタリティとフィジカリティが流動的に溶け合うような視覚体験。パフュームのパフォーマンス空間の視覚デザインを担当しているライゾマティクスのメンバーであり、アーティスト、プログラマーでもある真鍋大度の言葉はケルコフの分析を思い出させる。「パフォーマンスにおいてその中心となる身体はディスプレイではなく、外部データと内部データ（記憶、感覚等）のインターフェイスである」。

B島　八〇年代以前のポップとそれ以降

ポップアートはローカルな文化やヴァナキュラーなものを受け入れ、それをモダニズムの表現方法の折衷、変容を通して作られるがゆえに、主流のモダニズムが置き去りにしたり、見落としてきた価値を拾う。ゆえに各地域におけるオルターナティヴ・モダニズムが生成する主たる力の一つとなっている。日本におけるサブカルチャーやプレモダンの文化の豊かさは、日本のポップアートのダイナミックな多様性につながっている。一九六〇年代、消費社会の批評であるアメリカン・ポップアートの影響下で始まった日本のポップアートは、ポピュラーなイメージを取り込み、アングラ、政治的メッセージの発信などその範囲を広げた。八〇年代に情報化が進み、パルコ文化やマンガ、イラストなどの表現の多様化と成熟を通して多岐にわたるポップ表現がみられた。九〇年代になると、オタク絡みの戦略的なネオポップから、二〇〇〇年代は、SNSなどで発信力を高めたよりパーソナルなイメージや動画が、ポップのモティーフに加わった。

1

グラフィックデザインとポップ

日本において、〈サブカルチャー〉は、先行する〈ハイカルチャー〉を意識し、そこから逸脱することを意図していた。このサブカルチャーが大きく拡大したのが六〇年代後半からである。八〇年代に、先行する文化への対抗としてあった〈カウンターカルチャー〉とは異なる、グラフィック・デザイナーやイラストレーターがアートに影響を受けその活動をアートへと拡張する傾向がみられた。横尾忠則や大竹伸朗はアンディ・ウォーホルに大きく触発された。彼らはグラフィックデザインの可能性を、別のレベルの美学と社会性として新たに見出したのである。

横尾は一九六〇年代からグラフィック・デザイナーとして活躍し、キッチュでバナキュラーなイメージを用いつつ、日本的な〈間〉を活かした洗練された画面をつくりあげた。横尾は一九七〇年代、唐十郎などのアングラ劇や、寺山修司や土方巽などのポスターも手掛けた。八〇年代には、イッセイミヤケ、YMO結成にも深い関わりをもつなど、横尾は日本のポップ文化・アートを語る上で一つの中心的な存在ということができるだろう。エロスや諧謔的なイメージにユーモアやアイロニーが加わり、そこには感情や作者性が反映されている。

タイガー立石（タイガーは六〇年代後半にはマンガ家になっている）は中村宏との「観光芸術研究所」[4]を通して、シュルレアリスムとハイパーリアリズムの合体により視覚的ショックをあたえることを目指した。これらの視覚的ショックは社会批評を含んだ都市崩壊の寓意イメージとして七〇年代のグラフィック・デザイナー、木村恒久のモンタージュに現れている。木村は「モンタージュ写真は、不確かでよく見えない閉塞的な時代を、虚構と現実との類似点を強調することによって、別の全体性（現実）から状況を主体的に構成する」[5]と考えている。彼にとってモンタージュは、一種のシミュレーションレポートといえるだろう。

八〇年代のデザインとハイアートがすべて同価値におかれるというモードの中、西武グループによって演出されたパルコ文化とよばれる、アートと消費文化の結びつきを代表するイラストレーションから発展した日比野克彦が続く。ダンボールという素朴な素材を使い、触覚的に洗練された形や色彩で組み合わせたコラージュは、その軽快なイメージと身体性で時代を反映した。〈美〉にサイボーグ的な〈強さ〉を付加した〈時代の先端を走る女〉のイメージはこの消費文化のヒロインとして山口はるみや石岡瑛子によって作られた。「アカデミズムをショッピングバッグに入れて持ち帰れるような感じ」、「わけがわからないけど新鮮じゃん」[6]。このアカデミズムも含めて情報がモノより魅力的にみえる、あかるい軽薄さは表層的なレベルではあったが、あらゆる既成価値のヒエラルキーを一度リ・セットしたのである。

九〇年代の社会性を表すものの一つに、マンガとアニメがある。代表的な作家として、ディストピア的な世界を表すマンガとアニメーション、『AKIRA』で知られる大友克洋、未来の見えない若者の生を描き、時代の感性をリードしたマンガ家、岡崎京子がいる。これらはそのコンセプトの批評性と創造性と、絵画としての質の高さにおいて、視覚芸術と文学の間にその位置を確立したといってよい。これらの存在論的な疑問を、芸術とそのモティーフへのアイデンティティの回復に向けたのがネオポップである。ネオポップとして、日本の伝統絵画手法やサブカルチャーのイメージを戦略的に用い、政治や歴史、消費社会に対するアンビヴァラントなコメントを込めた村上隆。会田誠、またディストピアへの警告を意図したヤノベケンジらがいる。

村上は日本の戦後の精神史と社会の変遷に批判的であり、その過程において自己表現のアイデンティティをマンガ、アニメのキャラクターにもとめた。その背景には、〈おたく〉という社会現象への観察と批評がある。一九八〇年代前半から発生してきた〈おたく〉は、日本固有の文化であるアニメやマンガなどのサブカルチャーに対して極度の情報の蓄積と批評精神の先鋭化を施し、それ以外の対象には排他的である。閉鎖的でかたよった趣味性の彼らは最初はマイナーだったが、九〇年代にはメジャーに台頭してきた。彼らは、ゲーム、アニメーション、インターネット、アイドルなどのあらゆるメディウムの中に、貪欲に自分の関心の対象（世界）を見出し、欲望とともに意識的な交換を求めていく。結果、対象を触媒として自己愛が肥大化したかのような強烈なファンタジーをつくりだす。

村上はDOBという名の和製ミッキーマウスもどきのキャラクターを皮切りに、無数の目のあるアメーバ状に変化する生き物、笑うコスモスなどを作り出した。これらのキャラクターは新たな視覚言語であり、変幻自在のかわいくも不気味なモンスターとして、絵画だけでなく、ルイ・ヴィトン製品のデザインとしても世界中に普及した。日本の十六世紀後半から十九世紀にかけて描かれた、平面的でありながら、奥行きや広がりを感じさせる琳派の絵画の洗練された構図を参照し、そこに色鮮やかなキャラクターを配置していく。自然界すべてのものに霊性をみる原始的なアニミズムと、動く複数の視点を伴ったスピード感にあふれた画面構成が、絵画に動感と新鮮味を与える。あたかもポップという呪術をかけたように。そこには、病んだ異常な感覚と、これと対照的な底抜けの楽観的なはれがましさが共存しており、ゼロ年代の複雑な日本の状況を反映している。会田誠も同様に戦後の政治社会のあり方に強い批評性をもち、同時代のイメージを流用しつつ、ユーモラスでグロテスクな表現で、性と生の根源を探求した。

病的なエロスとアニミスティックな情動や視覚への刺激的表現は、草間彌生の九〇年代以降の再評価に同調している。柔らかなファロス（男根）彫刻により、家具やボートの表面を覆ったり、身体や部屋の内部すべての表面を水玉で覆う。水玉に〈汚染〉されるなり、それらは別の生命を帯び始める。水玉絵画を近くで見ると、空間が拡大縮小し、一つとして同じもののないミクロコスモスの集積に、見る者は〈無限〉へと誘われる。自分の身体が世界中に水玉となって拡散するという〈自己消滅〉のヴィジョンは、〝存在の不安〟を払う悪魔払いの呪文でもある。草間に続くように、女性作家による作品が、父権社会と日本型管理社会に対する私的で率直な批評として現れる。束芋の七〇年代のアングラ文化のスタイルを流用し、管理社会や、コントロールされた女性性への批評と内的な情念を混合したアニメーション作品、〈若く美しい〉という、女性の社会的価値の基準に反発し、ときにSF的なナラティヴを通してオルタナティヴな基準を提案するやなぎみわ、この世界から離脱して（エロスの開放も含めた）自由な精神世界のヴィジョンを描くタカノ綾。

彼女たちのポップはそのキュートな外観に強いメッセージを含んでいる。日本現代美術において、最もポリティカルで、アイデンティティや社会心理の問題に多様な形でふれているのがこのポップアートということができる。

C島　協働、参加性、共有

共生や他者との関係を重視する日本人の性質において、観客が関わる参加型、共同制作的な表現は、一貫した流れとして捉えることができる。六〇年代のフルクサスは観客の参加を促したが、これは九〇年代後半、国際的な動向となった「関係性の美学」に呼応して現れてきた参加型、協働のプロジェクトにつながる。二〇一一年の東日本大震災後は、アーティストやクリエイターによる多様な協働的社会的な創造活動が展開している。

参加型アート

フルクサスは、従来の作家性（作家中心主義）を批判し、作品の成立に他者の関与が必要であることを明確に打ち出した国際芸術運動であり、多くの日本人作家が参加した。安価な素材の使用を好み、即興的で自然発生的なニュアンスのもとに、日常的な行為を再構成する。そこには、人間の生そのものの豊かさに観客の意識を開こうとする工夫がある。オノ・ヨーコや塩見允枝子らの日本人作家は、欧米の作家の反芸術的な批評性ではなく、他者の想像力を開く〈肯定〉的な部分をそれぞれの方法で発展させた。塩見は、フルクサスの特徴を、表現主義、自己表現を嫌い、シンプルかつ客観的であること、観客の参加、共同制作など、作家と一般の人びとの間の壁を取り払う試み——ゲーム性、ジョーク、ユーモアと述べている。

オノ・ヨーコは、日常の〈意識化〉としてのコンセプチュアル・アートを制作し、媒体の非物質化と詩的暗喩をとおして観客の関わりを招聘する。オノは哲学的思索を日常レヴェルへと下降させていく試みを行った。その背景には、問いに対する答えを相手に委ねる禅公案を含め、日常生活そのものが一瞬一瞬の生存の哲学的実践の連続であるとする、禅の思想が大きく影響していた。彼女にとってパフォーマンスとは、観客の視線を自身の内面に向け、批判的な思考を促すものであり、思考に連結する行為を通じて、社会変革を引き起こす可能性をもつものだった。一九六一年に開始した「インストラクション」は、身振りを伴って作品を生み出すための言葉による楽譜であり、他者にこれを演じさせた。壊れたカップの陶片と接着剤をともにおいた《メンド・ピース》（一九六八年）は、修復をコンセプトとしたものである。

塩見允枝子の《Events and Games（イヴェントとゲーム）》（一九六四年）は他者へのアクションの指示を音楽のスコアのようにまとめたものである。塩見の指示は、理科の実験のように、あるいはスポーツのように、シンプルに参加者の実際の体験を求めている。現実の場所《サイト》での未知の風景との出会い。インストラクションは、単純に見えながら、状況（海辺や屋上などのサイトの指定）と行為は繊細に思慮深く選択されている。塩見における〈音楽性〉は、重力や自然の中の風力や波といった大きなリズムや秩序の中で、行為を通してひとつの曲を奏でるという、環境や宇宙との柔らかな共創である。同じインストラクションでありながら、観念的で現代美術の文脈に影響されているオノの作品に比べて、塩見のそれは、具体性があり、しかも自由で、身体性と深く関わっている。《スペイシャル・ポエム・プロジェクト》はグローバル・ネットワーク時代の先駆けともいえる。日常の意識化ともいえる柔らかなコンセプチュアリズムと観客の関与の方法は一九七〇年代以降の日本の作家たちに大きな影響を与えた。

2

協働

一九六〇年代後半「ハプニング」という言葉は、アートの文脈だけでなく、予測を超えたアクション、出来事を指すものとして一般化していた。祭りやイベント好きの日本人にとって、この、日常をしばしば異化するスペクタクル性を伴うハプニングは、受け入れられやすかった。「体験共有としてのハプニング」を起こそうとした有志の集団がザ・プレイ(一九六七—一九九九年)である。ザ・プレイは池水慶一らを中心として、行為のつど、参加者を募り、流動的なメンバーで構成された。それは日常の何気ない思いつきのようでありながら、農耕者のように日常的、体験的に継続して行う事を重要視していた。白い発砲スチロール製の矢印型イカダにのって、十二時間淀川などを移動する《現代美術の流れ》は、ハプニングととられたが、驚きや遊びの要素もあわせて、人々の日常に浸透し、その意識を耕すという意味でアートとしての自覚は高かった。《雷》も皆で山頂に三角錐の塔を組み導雷針をつけて、落雷という自然現象を待つプロジェクトである。このゆるやかな時間の共有と日常をずらす行為にむけての協働のありかたは、ワークショップを通じて皆がやってみたいこと、日常を逸脱した驚きの共有を目的とした「プロジェクト案」をつくり、これを皆で実現する作家集団ワウ・ドキュメント(二〇〇六年—)などに継承されている。

3

他者との体験の共有

田中功起は、方法論としてフルクサスやダダを継承し、環境に対する小さな〈俳句的〉アクション、作為によってこれを変容させた記録物を集め、ヴィデオやオブジェとして展示していた。二〇一〇年頃から、他者の体験をどのように共有するかというテーマに対して、クラシックやジャズなど異なる分野の五人のピアニストに一台のピアノを弾かせる、複数の詩人や陶芸家などに一つの作品を協働で制作させるなどの構築的な実験パフォーマンスと記録撮影を行う。これは震災やテロの被害者、その当事者性、他者の体験の共有の問題に対する一つの回答である。共同作業、コ・クリエイションの過程を見せることで他者の心理に対する想像力を、観客の中に拡張する。ドキュメント映像や協働作業の成果物を共に展示する彼のインスタレーションは共感の磁場を形成する空間としてフォーマリスティックに、巧みに構成されている。

東日本大震災後、アクティヴィスト的、ソーシャルワーカー的なアートが活発となった。特に被災地の現場において、アーティストに何ができるのかという問いは真摯に問われ続けた。ヴィデオ作家の藤井光は、3・11の現場で、作家たちの活動の記録映像を撮った。作家はできることがあるとすれば、それぞれの視点でこの出来事を忘れないように作品化することだけだ、という彼の言葉は、体験、記憶、感情の共有という視覚芸術の基本的な役割を思い出させる。

また震災は「体験の共有」を復興の過程に重ねることで、建築家や他のクリエイターたちが、参加者の自発的な思考を促すことを促進した。伊東豊雄が主導した《みんなの家》(住民の意見を反映した集会所建築)の建設。被災地の復興計画についてドローイングの共同制作を通してアレゴリカルで実践的な提案を行うアトリエ・ワン(一九九二年―)などが例として挙げられる。

4
パブリックとプライベートの境界

共有空間の生産を、クリティカルで革新的な方法で提案した一人が、建築家ユニットSANAA（一九九五年―）である。パブリックとプライベートを分断的ではなく、柔らかくつなげる――そのコンセプトは、〈自由〉の主張のもとに肥大化した個人性、希薄になったコミュニティやパブリックとの関係、それに伴う〈責任感〉を矯正するための批評的プログラムが、そのまま立ち上がったかにもみえる。軽やかな建築はドゥルーズのいう意味で、〈遊牧民的〉で〈私的〉である。一見軽やかでシンプルに見える彼らの建築のもつ複雑さ、存在感は、プログラムが形になって立ち上がるその過程に拠る。クライアントの希望条件やパフォーマティヴィティ、環境を十分に調査し、これを解釈し、模型とプランによるおびただしいスタディの過程を経てつくられる建築のプログラム。〈個人〉の場を確保しつつ、共有、共存を意識化させる一つの鍛錬（discipline）を使い手に課す――使い手の潜在的能力に対するSANAAの働きかけである。利用者に使い方を委ねるというフレキシビリティも同様である。彼らの代表作の一つは、筆者が美術館キュレーターとして提案した、二十世紀から二十一世紀へのシフトを表す3Ms（man, money, materialism）から3Cs（coexistence, collective intelligence, consciousness）のコンセプトに基づいてつくられた金沢21世紀美術館である。これは透明なガラスに囲まれた円形の構造の中に島のように点在する個性的な展示室、空間を視覚的に共有できる廊下や共有空間のデザインなど、モダニズムと主体中心主義への脱構築とともに「開かれた美術館」に対して一つの解を示した。

この「C島」の作品に、共通するのは、観客（人々）の関与を促していくときの、多様で、相手の想像力に委ねる巧みな〈開放性〉、フレキシビリティをもった〈身体性〉、〈パフォーマンス性〉である。これはインストラクション、協働作業、行為の設定の仕方や、空間と空間内の行為のプログラムの作り方など、さまざまなレヴェルで発揮されている。

D島　ポリティクスを超えるポエティクス

内外において日本の視覚表現の特徴を言い表す言葉として最も普及しているものの一つに〈かわいい〉(キュート)がある。それはともすれば日本の現代アートの非社会性への批判につながっている。「D島」では〈かわいい〉に関連する、詩的、無垢、純粋、幼さ、傷つきやすさ、小さきもの、といった要素の背景を検証し、そこにある独自の表現のポリティクスがあることを見せる。直接話法で政治的な言及を行うのではなく、寓意や比喩として、無垢で詩的なファンタジーや超現実の世界としてメッセージを発信するポリティクスは、一九二〇年代、ヨーロッパ前衛芸術の影響を受けた古賀春江らの詩的なシュルレアリスム表現にその一つのルーツを辿ることができる。これを九〇年代以降の奈良美智などの子供性、純粋性、未成熟の主体から発される表現とつなげて、詩的なものが抵抗のポリティクスとして機能し、それを超えていく日本の独自のコンセプチュアリズムをみせる。それはアニメーションや建築、ファッションにも見ることができる。

未成熟なもの、無垢なものの象徴である子供と動物のみをプレーンな背景にイコンのように描き出す奈良美智は、〈かわいい〉の背景に現実への批判と抵抗を込めた代表的な作家といえる。世界の不条理に反発し、大人になることを拒絶した愛らしい子供がこちらを睨みつけている。子供の傷つきやすさとその逆説的な強さが、ある種の悪魔祓い、魔除けのイコンとしても機能する。この逆説は、一九二〇年代、前衛の影響を受けながら、主知主義と詩情の両立を試みた古賀春江に通じる。仏門の出身で詩人でもあった彼の絵画には「仏法のをさな歌」(川端康成)と評されたように、現実を諦観する〈虚無〉と、それを超えた童画にみられる生の喜びへの〈肯定〉がある。二つの戦争の間に描かれた《海》(一九二九年)は、飛行船や工場、水着の女性などの近代的モティーフのモンタージュ的な組み合わせであり、それは一見超シュルレアリスティックにみえて、時代を見つめる写実の精神に貫かれている。

〈抵抗〉は内的なものにも向かう。不確かさの二〇〇〇年代、リアルをつかめない漠然とした日常への抵抗として伊藤存は、記憶と白日夢を柔らかに組み合せ、これに物質的な手仕事である刺繍で確かな形を与えようとする。「自分で見えない場所を表現」するたよりない感覚を批評的に顕在化させるのだ。建築家の石上純也は〈建築〉概念を〈箱〉でなく、自分たちをとりまく環境そのものと考え、現実を超えたスケール感にまでこれを拡大する。〈建築〉行為を「空間の生産」（アンリ・ルフェーブル）と考える彼は建築を、あらゆるものを、相互に作用しあう揺れ動く関係性の中に落し込むものと捉える。《四角いふうせん》は高さ十六メートル、四階建ビルと同じスケールの重さ一トンの銀色の構造物で、中に入れたヘリウムガスにより、それが空中にふわりと浮かんでいる。ゆっくり回転しながら浮遊する〈建築〉は、人々の空間意識を変容させ、〈建築〉概念へのユーモラスな批評となっている。

ヴァナキュラーでプリミティヴな要素は、純粋な詩を喚起する。中園孔二の、暴力的にメッシュあみされたイメージ群は、現在の危機を感じ取り、これに対してあげる純粋な〈声（詩）〉を内包している。中園孔二は、デジタル情報とインターネット環境で育ったクラウド世代がかかえる現実との乖離や断絶、不確かな未来への不安を、森の中の奇妙で可愛らしく戯画化されたトライブたちの生態として描く。そのプリミティヴな儀式やふるまい、森や湖との合体を願望するイメージ、いくつものレイヤーになって画面を覆うゴーストのような人物たちは、ダークエコロジーの寓話となりえている。米軍基地問題が今も続く沖縄。沖縄出身の照屋勇賢による《結い、You-I》は伝統的な紅型の着物を用い着物の紋様鮮やかな花や木を途中から戦闘機やパラシュートに変容させた。ローカルな紋様がもつ、静かだが強靭なリリシズム。山川冬樹はヴァナキュラーなホーメイの発声の訓練から音の根源的な詩学を学んだ。録音された一報道キャスターだった父と自分の声を重ねることで、三十年にわたる世界情勢と個人の時空を重ねた《The Voice-Over》。展示室内に響く、紛争を報じるキャスターの声とあどけない子供の声の鮮烈なディゾナンス。

日本においては、例えば北野武のような、エンターテイナー、コメディアンがしばしば最も辛辣でアイロニーに満ちた的確な政治的、社会批評のパフォーマンスを行う。Chim↑Pom のハイ・パフォーマンスはコミカルでジャーナリスティックだ。ジョークのようなスーパーラットの剥製の横に、都市の浄化をあざわらうかのように生き延びたネズミを、渋谷の町を駆け回り、捕獲しようとするメンバーたちの〈狂騒〉の映像が展示される。広島や、震災後の福島の被災地にコミットしたアクションなど、高度な社会意識をもちながら、Chim↑Pom はそのエンターテイメント性を通じて社会性や公共性概念に影響を与える新たなナラティヴをつくる。島袋道浩と小沢剛は旅や状況への介入を通して、日常をずらし、あるいはいったん抜け出て、生に新鮮な視点をもたらす。その「パワーレスなゆるさ」の中に強靭な批評がある。

E島　やわらかで浮遊する主体性・極私的ドキュメンタリー

日本における、私小説に端を発する独自の主観性＝〈私性〉は、私的でありながら、その強い求心性と特異な内面的観照によって、表現としてはかえって普遍的な強さを帯びる。外部と内部、社会と個人、他者と自己の境界が曖昧なこの国の精神的風土は、自己〈表現〉を稀弱化させ、〈相対化〉に必要な自己との距離を無化しがちである。日本人作家に優れた写真、映像作家が多いのは、（撮影）装置を用いることでこの〈距離〉を自動的に取得し、この装置と主観的に一体化することで、感覚や感情を対象に投影しつつ、装置によってこれを機械的に切り取る〈対象化〉を共存させることができる所以である。その主体性は求心的でありながら、中心は浮遊し絶えず揺れ動いているように見える。既存のドキュメント写真に疑問を呈し、〈記録〉から〈記憶〉への移行を通じて極私的写真を唱えた森山大道らによる、一九六〇年代末の動向から、私的な日常風景を零度の視線で新しい〈リアル〉として浮き上がらせた一九九〇年代のホンマタカシ。ドキュメントの極小の断片を〈崇高〉につなげる二〇〇〇年代の川内倫子を経て、3・11後の私的ドキュメントのあり方につながる。

日本の中で、不安にさらされながらも群れに加わることなく〈私〉を提示する、そして〈私の生〉を記録する。〈戦後〉から回復した自意識の形成がピークを迎え、それが一九六八年に一つの節目を迎えたとき、「たしからしさを捨てよ」というステイトメントは同人誌『プロヴォーク』を中心に活動していた中平卓馬と森山大道ほか数名の、写真家によって提唱された。彼らは装置と一体化し、眼前にあるものの記号的意味を無化し、ただリアルの光景の中に切り込んでいった。「アレ・ブレ・ボケ」——粒子がアレ、大きく傾いた画面の中で被写体の輪郭がブレ、焦点がボケている彼らの写真群は、まさに、不確かで不安な日々の状況に、自らの身体性と皮膚感覚をもって対峙した記録だった。対象の報道的・芸術的価値とは無関係に、「あくまでも『私』に向けて撮っているということであり、決して『何かのために』ではない」「極私的写真家」（森山大道）として内的なものに動かされ、路上を徘徊した。六〇、七〇年代から写真集は彼らの作品のあり方として重要な存在となった。そこで写真は一点ずつではなく、全体におけるグラフィックの一部としてみなされ、写真家の〈私的〉な記憶や世界観を表すのに適していた。中平卓馬の写真集などには、不安定でありながら生き生きとした心象風景が表現されている。そこには自らのアイデンティティと社会、歴史における個人的な記憶など〈私的〉な体験と時間が展開された。

「私写真」といえば、荒木経惟のポルノグラフィを思わせる、被写体に内在する生と死を生々しく捉えた写真が思い起こされる。彼は大手広告会社勤務の際、消費社会のおびただしいイメージへの反発として、究極の私的な写真を撮り始めた。極私的な視点で、連綿と自分の日常から、風俗、セックス、緊縛写真までをさらりとみせていく荒木の軽やかさとインパクトは存在論の語り方としてきわだっていた。彼は「批評」も「表現」もそのときに捨てたという。「シャッターをおすことは息の根をとめること、仮死状態になったものを、見せるときにパッとまた生き返らせる」(荒木経惟)。荒木は呼吸をするように常にシャッターを押し続け、自分にまつわるさまざまな出来事や人々を、彼の身体を通してアクティヴェイトするかのように撮影する。被写体の女性たちの多くは親密な共感をもって荒木に自らの時間を委ねており、そこには窃視的でない、相互コミュニケーションの関係が形成されている。他者との関わりの深さゆえに、写真は〈イメージ〉ではなく、潤いをもった有機体のように立ち上がっている。

一九九〇年代、バブル崩壊のあと、世界対個人という対峙的な存在論的な問いは、より世界と均質で等価な存在へと変化する。郊外という脱歴史的な場所の光景や、そこで育つ子供たちの無表情な顔を、淡々とクールに捉えることで〈新世界〉を表したホンマタカシの写真は、等身大で透明な存在として世界に浸透していく私的視点を見せる。その写真は透明感がありながら、ある種の不穏さ、曖昧さがかもしだす不透明な雰囲気を感じさせる。写真集『東京郊外 TOKYO SUBURBIA』において〈郊外的なもの〉は脱歴史的(a-historical)な、何の意味も文脈も、もたないものを指していた。人種的な葛藤や社会階級の差異が比較的少ない日本独特のフラットさが、その場の非意味性を完璧なものにしている。郊外に生まれ育った無表情の子供たちの顔は、その解読不可能な目を通し、こちら側の事はすべて理解しつつ、彼等をこちらが理解することを一切拒絶しているかに見える。あたかもエイリアンのように。しかし、ホンマの写真は生命体としての彼等の存在感を切実に捉える。パンフォーカスで明るく撮影されたセットのような郊外の風景写真は、〈現実がいかに複雑で異常なものかをうかびあがらせるためのもの〉に見える。絶対的なものなど何もないというホンマ。特定のイデオロギーと無縁の零度の視線は、目前のリアルに対してこれを脱意味化していく強靭な批評精神に支えられている。彼の写真が、見る者に自由な解読の糸口を開くのはそれゆえである。

一九九〇年代はリアルに向けての脱歴史的な視点が、女性写真家の被写体との率直なやりとりによって試されたときでもある。それは精神的なサヴァイヴァルと関わっていた。自分も含めた家族ヌードを撮った長島有里枝、私的な視点で歴史的な場所を〈私化〉し、〈現在〉と接続させる米田知子などがそれにあたる。それに続いて二〇〇〇年代から、川内倫子は、極小の断片から生命のコスモロジーを感じさせるエネルギーに満ちた写真を、写真集によって多く発表した。写真集『Illuminance』は、日蝕に始まり、光と作家との私的で強い関係が中心をなしている。場所や人物を特定させない、曖昧な記号性の中で、写真の連なりの中に時間の流れ、光の流れが見えるようにつくられ、そのリズムの中で、これらを見る者に「時として考えられないような距離を感じさせ、太古からの興奮や恐怖、荘厳さまでも」[7]与えるのである。SNS時代、誰でもが自分が感じる〈美しい〉一瞬を写真に撮り、インスタグラムにあげて、非言語的な感性の共有を行う。川内の作品はその喜びの一瞬を見るものに絶えず喚起する。花にかけられた水の一瞬の迸り、川内は、広告写真の〈美のクリシェ〉を解凍しつつ生産したイメージによって、情報環境の中で汚染された私たちの知覚の喜びを、もう一度原点に向けてリセットする。いかなる加工もしない、純粋な〈ドキュメント〉であることがその本質となっている。自分をとりまく世界の大きさ、不確かさに対する漠然とした畏れ、そこにただ〈在る〉しかないことの緊張感が〈ドキュメント〉の解像度を上げる。それが〈とてつもない距離〉——〈崇高〉の感覚につながるのである。

3・11の震災は再び〈記録〉の意味を写真家に問いかけることになる。震災で家族を失った畠山直哉は「切断された風景」として、作家独自の黙示録的、ロマン主義的な形式によって、被災地の風景を捉える。震災の前からコミュニティの写真家として村人とともに暮らしていた志賀理恵子は、震災の前後を通し、モンタージュ的な多重露光で構成されたパフォーマティヴな画面をつくる。人びとの心理や感情を、強いローカル色をこめた日常と非日常の間の光景に投影したイメージは、志賀自身の心象風景となっている。客観的に真実を伝える写真はありえず、作家（写真家）にできることは心象的な、広義のセルフドキュメンタリーなのだ。それは自分の立場でこの出来事を忘れないよう〈記憶〉することに他ならない。

個々の営みを映画を通して、徹底的に主観的なものとして捉えるのが映画監督の松江哲明である。彼はセルフドキュメンタリーという手法を通して、現実に対して自身の視点からくるフィクティシャスな設定をしかけ、事実をハイライトしてみせる。「どんなネガティヴな状況も映画に撮るとポジティヴになる」（松江哲明）。ミュージシャン前野健太主演の『トーキョードリフター』は東日本大震災の後、節電と自粛で暗くなった東京の夜を舞台にしている。暗い東京の町をバイクで「漂流し《ドリフト》」歌う前野の姿は、震災の現場ではなく、〈いまここ〉で松江自身が、〈震災〉という出来事に対してどのような記憶を刻印することができるかに向けられている。

F島　物質の関係性・還元主義

日本人はモノ（物質）を直接的に捉える。作家の意図や表象を排してモノそのものに語らせたり、モノとモノとの関係性を構築していく過程で、モノの存在をその本質に還元する。インド、中国を経て伝わった禅が日本で極端に還元化されたのは、抽象化の力とリアリティに依拠した実存主義的傾向ゆえであろう。「F島」では、もの派やさまざまなミニマリズム表現を通してこれを見せる。モノの関係論には時間と空間の概念が深く関わっている。〈間〉は日本独自の概念であるが、そこで〈時間・空間〉は融合しており、一体である。空間はその中で発生する出来事を介して感知され、時間を介してのみ空間は捉えられるといってよい。

一九七〇年代のもの派は、主体から物質へ、あるいは外部へという時代の流れ（アルテ・ポーヴェラ、アース・ワークなどの動向）に沿っていた。それは主体中心主義と知覚のあり方への問い直しでもあった。〈間〉の美学は、時間を視覚化、物質化する作品に大きく影響している。例えば差異と反復というミニマリズムの方法によって知覚の深さと強度を表す野村仁や杉本博司である。河原温の日付絵画や、宮島達男のデジタルカウンターは、時間のもつ〈同時性〉や〈変化〉と仏教的な死生観を浮き上がらせる。多様な要素をデジタル信号に還元し、関係性を再構築する池田亮司はビッグデータを別の時空間に変換する。多くの作家が〈還元〉によって宇宙や空間、時間などのテーマを形而上学的なレヴェルに止揚していく力をもっている。

事物と外界の関係を検証する試みは、もの派の作家各々で固有の方法がとられた。ものそのものをほとんど加工せず、結んだり配置したり、手で変容させていく——身体と深く関わりながら、菅木志雄はものの存在の相互依存性とすでに〈そこに存在している関係〉を明らかにしていく。その思想はウィリアム・ギブソンの直接知覚の理論や仏教思想に根ざしている。榎倉康二は、自身の身体を対象世界に投じた表現に始まり、生のカンヴァスにオイルの沁みを浸透させる形で事物と外部空間の関係を〈浸透〉という境界領域をつくることで表した。

イメージの消費や知覚の浅薄化に対する抵抗として、主観を排した〈観測〉を通してより深い隠喩に導こうとする例が野村と杉本である。定点観測撮影によって月の動きを五線譜を予め写し込んだフレームに落とし込んでいく野村仁。フレームごとに生じる偶然のずれが、天文学的必然である天体の運行を〈主体化〉する。異なった時間と場所の海の水平線を長時間露光によって撮影し、白と黒に分割された匿名的なイメージをつくる杉本博司。これは世界を定義するのではなく、世界を暴く（reveal）行為である。生命は海からやってきた——杉本は原始の光景としての無限の未来である海をその根源的な隠喩において捉えようとしている。

観測と行は、より時間と空間についての深い洞察を我々に与える。河原は時間の観測に似た行のように淡々とした行為として日付絵画を生産した。クロノス的な時間の定点観察と、実存主義的共感—カイロス的時間の共存は、死を前提として生きるという仏教的〈あきらめ〉の境地のなかで可能となる。それは〈瞬間の中に永遠を見る〉ことであり、そしてこの時間概念こそが、見る者に描かれた日付の時間への実存主義的な共時性（同時性）を感じさせ、その時間を再び〈生きる〉ことを可能にするのである。時間は絶えず変化しながら円環を描いているという東洋的な時間概念は、宮島達男の（〝0〟を除いた）点滅するデジタルカウンターの連鎖反応によって、空間的に示される。変化、関係性、永遠の運動を要素とし、無数の死と誕生の繰り返しの中に、現在の生の瞬間がたち上げ続けられている。

池田亮司は最小限に還元された物質——サイン波やホワイトノイズ、光、データなどを等価に扱い、これを時空間にコンポーズする。〈無限概念〉に影響されながら、彼はいろいろな要素をつなぎ合わせてそこから生まれる関係を見ようとする。［datamatics］は無を前提として有を生じさせるランダムさ、強度、知覚への純粋な刺激のクラウドである。新しいマテリアル概念はマテリアリティと情報の融合を促進する。名和晃平の《Force》において、シリコンオイルは半固体状の物質感を持ち、水のようにはねることも音もなく垂直に流れおちる。「ジャパノラマ」展の最後におかれた《Force》は、身体や知覚を撹乱する奇妙な物質性、構造としてのミニマリズム、そして多くの解釈に開かれた抽象度によって、六つの群島で展開されてきた要素を統合、象徴するものとなった。それは広島への原爆投下後降り続いた黒い雨であり、バーネット・ニューマンのジップ（垂直線）——モダニズムの流用であり、複雑なプログラムをコーディングしたデジタルバーコードでもあった。

註

(1) ダークエコロジーは環境哲学者のティモシー・モートンによる環境概念である。人間は非人間や、周りを取り囲むものと繋がりあっている。周囲にあるものが何であるか、醜い、恐怖などの感情をいだきつつ、その危険性を判断することはできない。確定できない「奇妙なよそ者」との親密な共存を提唱するのがダークエコロジーである。工藤哲巳の放射能汚染をおもわせる有機物や身体がともに絡まりあう奇妙な共存は現代的な環境概念と繋がる。

(2) クレイグ・オーウェンス(新藤淳訳)「アレゴリー的衝動――ポストモダニズムの理論に向けて」『ゲンロン』一―三号、株式会社ゲンロン、二〇一五―二〇一六年。

(3) コム・デ・ギャルソン、一九九七年春夏コレクションDMより。

(4) 観光芸術研究所は、一九六四年に中村宏とタイガー立石によって結成され、一九六六年まで二年余り活動したグループ。同時代の反芸術=反絵画という動向に対して、あえて絵画という平面による表現活動にこだわり、〈見る〉という視覚的〈表現〉とその強度を追求した活動を行なった。展覧会、街頭パフォーマンス、テレビ出演など。

(5) 木村恒久「虚構と現実の類似性」『グラフィケーション』一〇巻一二号、一九七六年、八頁。

(6) 岡崎京子『戦場のガールズ・ライフ』平凡社、二〇一五年、五三頁(初出は『文藝』一九九四年十二月号、河出書房新社)。

(7) デビッド・チャンドラー「無重力の光」『川内倫子 Illuminance』フォイル、二〇一一年、一五二頁。

付記

二〇一五年、ラヴィーニュ元館長から企画の依頼をうけたとき、こう言われた。フランス人は日本文化に興味をもっているが、二つのステレオタイプが支配している、「禅」と「カワイイ」だ。展覧会で、この言葉を超える日本のアートと文化の多様性を、もっと見せて欲しいと。異文化圏で自国文化を紹介する仕事は、自らの文化を相対的に見直す好機である。日本の現代アートを特徴づけるキー概念を抽出するとき、参照したのは欧米の日本展覧会や現代芸術論で頻出する概念だった。奇妙な身体、ポップ、超主観主義、共生など。他者の目を鏡にして六つの概念（テーマ）は抽出された。それを「群島」という多方向的で、相互干渉を可能にするコンスタレーションで構成したのである。指標となる概念、その概念のゴブレットからあふれるギリギリまで拡張したファッション、建築、マンガ、音楽なども含む多様な表現をそこに入れた。理解を超え混乱し「溺れかけた」としても、「ポップ」という概念のブイにつかまることができる。

それは「身体的」「感覚的」でありながら、その群島的なありようがそのまま「日本固有の視覚言語」（サラ・モローズ）となっているのである。「ときに心をかきみだされるような」（ヴァレリー・デュポンシェル）作品の不穏さは、日本の特異性、核や資本主義経済の実験場とされた歴史と、島国ゆえに発酵した濃厚な文化の独自性に基づいている。美術館のガイド、メディエーターから最も質問が多かったのは「ポリティクスを超えるポエティクス」＝〈かわいい〉の背後にある思想のセクションであった。それぞれの作品に異なった抵抗の意思があることを語りながら彼らの想像力に委ねたことを記憶している。一〇万人の来館者のなかには、リピーターも多かったという。観客の一人の、「わからないことを確認するために再度おとずれた」、というコメントが印象に残っている。

サラ・モローズの『ニューヨーク・タイムズ』の一面に掲載された記事と、ヴァレリー・デュポンシェルの『フィガロ』の展評を以下に掲載した。展覧会報告の一部として参照されたい。

クリシェを超えた日本のアート

サラ・モローズ

〔……〕

「ジャパノラマ」展は、一九八六年にパリのポンピドゥー・センターで開催された重要な展覧会「前衛芸術の日本　一九一〇—一九七〇」を引き継ぐ形で展開する。この展覧会は、重要な日本人のアーティストを初めて海外で紹介した——しかし、それは彼らの作品が西洋美術の伝統に影響を受け、さらにはそれに依っているという文脈においてであった。

〔……〕

「ジャパノラマ」のサブタイトルは「一九七〇年以降の日本の現代アート」だが、この一九七〇年は、大阪万博で得た新たな自信に支えられて、日本が独自の文化的アイデンティティを再び押し出し始めた年でもある。この展覧会は「見過ごされてきたものの発見」である、とキュレーターの長谷川祐子氏は語る。日本は近代化とその遺産という複雑な問題に取り組んでいたが、その文化は西洋において、常にお決まりの二元的構図によって理解されてきた——一方では禁欲的な禅の石庭、そしてもう一方ではハロー・キティの陽気なキッチュさである。

今回の展示は、この還元的で誇張された認識を改め、伝統とテクノロジー、そして個人と集団の間の行き来がどのようにして独自の文化を形成してきたのかを探る。ヨーロッパの鑑賞者にとって、この「新しいヴィジョン」は、日本の現代美術をその固有の視覚言語によって語る、という点で新たな試みである。

西洋における日本のアートに対する関心は、ゴッホが浮世絵を集め、モネが日本庭園をモデルにジヴェルニーの睡蓮の池を作った十九世紀までさかのぼる——しかし、今日においても西欧以外の現代アートを紹介する美術機関はあまりない。ここ数年にわたりパリではこうした展覧会が少しずつ見られるようになり、パレ・ド・トーキョー、ル・バル、カルティエ財団、そしてヨーロッパ写真館などでの展覧会が挙げられるだろう。しかしここフランスでは、時代、メディウム、そして世代を横断する日本の創造性を探る展覧会は開催されてこなかった。

二〇一六年にフランスと日本の政府は、二〇一八年に展覧会やイベントを通して、フランスで日本文化に焦点を当てる外交的な先駆けの実践として、ジャポニズムを発表した。フランスと日本のハーフのギャラリストで、ヨーロッパと日本の作家をともに扱うジャン・ケンタ＝

ゴーティエによれば、この協働は良くも悪くもあるという。「私はこの機会をとてもうれしく思います——日本の（芸術）シーンは、深く詳細に紹介されるに値するでしょう」と彼は言う。しかし、「オリエンタリズムに帰してしまうという恐れもあります。アーティストにとって、ただ好奇の対象になるということは、最も避けたいことですから」と彼は付け加える。

外国の鑑賞者に馴染みのないものを受け入れるように働きかけながら、一方で文化的なコンテクストの均一化を防ぐにはどうすればいいだろうか？　長谷川氏は「ジャパノラマ」でその問いに向き合う。以前、ブラジル、イギリス、そしてドイツで日本の現代美術を紹介した経験を持つ彼女は、「過去十——十五年間について詳しく調べました。どのような展示が企画されたのか、どのような日本の現代美術作品がヨーロッパの公共機関にコレクションされたのか、など」と述べる。また彼女は、「私は人々の誤解の背後に潜む文脈に、そして作品の背後に隠れた社会への言及に、鑑賞者の意識を向けたいのです」と続ける。

彼女の広範で、深く考えられたあらすじは、アート、建築、映像、ファッション、そして音楽をつなぐ六つのテーマ（展示内では「アーキペラゴ（群島）」と称される）を含む。東京を拠点に活動する建築ユニットのSANAAによる演出を用いて、彼女は二つのフロアにまたがる動きや複数のメディアを、相互干渉を可能にする方法でつなげる。

〔……〕

「奇妙なオブジェ・身体——ポストヒューマン」と題された最初のセクションは、一九五六年に制作された田中敦子の《電気服》とともに鑑賞者を出迎える。さまざまな色のライトの集合体である本作は、変化し続ける今日の身体とデジタルの関係性をまず提示する。そしてこの作品は、展示作品のコム・デ・ギャルソンの衣服と共鳴し、西洋の美、そして身体に対する考えとは異なる、オルタナティヴなアプローチを示唆する。

また身体の変容はこのセクション全体におよぶ。長谷川氏は、一九六〇年代後半に作られた、「非常に奇妙で、そして非常に重要な」工藤哲巳による二つの蚕の繭によって、「原子爆弾、およびその汚染を原因とする突然変異に対するトラウマ的な考え」に言及する。そして八〇年代に結成されたコレクティブのダムタイプ、テクノポップ・グループのイエロー・マジック・オーケストラ、そしてプログラマーやアーティストから構成されるライゾマティクスといった面々の作品により、新たなテクノロジーが示される。ライゾマティクスは、日本のクリエイティビティの前向きな進歩を示すデジタルなバレエにより、現在の同時的な取引によって再編成されるビットコインのブロックチェーンシステムの可視化に寄与する。

ポップアートのセクションでは、長谷川氏は背景のコンセプトがしっかりしており、また日本性の強い作品に重点を置く。それによって、日本のポップカルチャーが通常理解されるように、表層的で明るい部分だけに着目するような態度を退けようと試みる。実際、グラフィックなキッチュさは本質的に重要であると彼女は話す。「それは日本固有のものですが、同時に非常に洗練されています」と彼女は付け加える。村上隆の作品は、おそらくこうしたものの中で最も有名だが、と同時に最も誤解されているものでもある。彼の「コスモス」のスマイルの絵は、ただ明るく楽しげなだけではない——その構図は、すべて十八世紀の江戸の絵画によるものである。彼のあまり知られていない作品《Polyrhythm Red》のキャンバスはタミヤの兵士の人形で飾られているが、「日本の文化が幼稚になりつつある」さまや、暴力と脆弱さに対する不快感が反映されている、と彼女は述べる。

またこの展覧会は、日本を代弁するブランドとしての「カワイイ」の、見かけ上のナイーブさを覆し、社会政治的欲求不満の主張を顕にする。

〔……〕

展覧会は、「物質の関係性・還元主義」のセクションで締めくくられ、杉本博司の水平線を写した静謐な写真作品や、池田亮司の数値データに基づくトランスな作品などを展示する。長谷川氏は展覧会のフィナーレについて、「崇高なものを見る」ための「着地である」と語る。

名和晃平の息を呑むような《Force》は、黒い粘り気のあるシリコンオイルからなるインスタレーション作品であり、飛沫をあげることなく雨のように降り注ぎ、落ち着いた様相を呈しているが、その見た目とは裏腹の意味も想起させる、（原爆投下後に降り続けた）放射能を含んだ黒い雨などである。「ジャパノラマ」の他の多くの作品と同様に、本作品はシンプルであることが複雑さを否定しないということを示し、そして美しいものは人を不安にさせるような恐怖を持ちうることを明らかにする。

これらの細かいニュアンスと対峙するには、異なるものの見方に対してオープンであることを要求する。その意味では、本展を最も象徴する作品として島袋による作品が挙げられるだろう。彼の映像作品《そして、タコに東京観光を贈ることにした》は、感動的であると同時に微笑ましくもある。彼は地元でタコを手に入れ、それを新幹線で都内に持ち込む——そして魚市場に持っていき、そこで他のタコと対面させる——そして最終的にそのタコを海に還すのである。これは展覧会に来る鑑賞者にぴったりの物語である。というのも鑑賞者は普段馴染みのない領域を探求することで知識を得たあと、自らのいつもの環境に戻っていくからである。

（訳・岩田智哉）

（『ニューヨーク・タイムズ国際版』二〇一七年十一月三日付）

©2021 The New York Times Company. All Rights reserved. Used under license.

日本という万華鏡へようこそ

ヴァレリー・デュポンシェル

ポンピドゥー・センター・メッスは、建築とユートピアから日本の歴史性と身体性に取り憑かれたビジュアルアーティストまで、〝日本〟列島（群島）にスポットを当てた。

　一九七〇年から現在に至る日本の芸術創造を映した膨大な万華鏡であった「ジャパノラマ」展を案内するために、来訪者には優れたガイドが必要であったといえる。ポンピドゥー・センター・メッスは、この冬日本一色となった。

　東京都現代美術館のアーティスティック・ディレクターであり、金沢21世紀美術館をたちあげた長谷川祐子がキュレーターとして選ばれた。二〇一三年春、シャルジャビエンナーレにおいて、きゃしゃな体ながら鉄の意志をもつこの知識人は、アラブ首長国連邦における暗黙の検閲と芸術家の狂気たる自由との間でゆれる展覧会を、感覚的で、詩的で、そして思慮に溢れたデモンストレーションへと変えることによって、訪問者を驚かせた。そして「ジャパノラマ」で長谷川祐子は、東洋的な異国趣味、固定観念や誤読に陥ることなく、西洋人に日本を紹介するタスクをまた担ったと言える。

　二〇一一年春、グルノーブルのアートセンター「マガザン」で開催された展覧会「ジャパン・コンゴ」では、ドイツ人アーティスト、カールステン・ヘラーが、ジーン・ピゴッツィの日本現代美術のコレクションを引き合いに、日本のアートシーンとアフリカのアートシーンとを対比させた。ヘラーは様々なフォーム、様々なアイデアのぶつかり合いに重きを置いたが、鑑賞者に理解のカギを与えることはなかった。愛くるしさから不気味さに至るまで、つまり〈かわいい〉から〈舞踏〉へと導かれるエクトプラズムな潮流を本質的に理解することはなくとも、この展覧会は興味をそそられるものであったといえる。

　しかし、ジャパノラマ展ではそのようなことはない。空間構成をSANAA（二〇一〇年プリツカー賞受賞、日本建築のスターエージェンシーである。ルーヴル美術館ランス別館など）が担当、群島として連続として構成されたこの文化的な冒険旅行の中で視覚的に秩序を持ち込んだ。エマ・ラヴィーニュが、その熱心さと教育的スタイルで先導するポンピドゥー・センター・メッスは、ポンピドゥー本館にて一九八六年に開催された「前衛芸術の日

本　一九一〇―一九七〇」展が日本への偏見を更地にした事を決して忘れてはいなかったのだ。

「ジャパノラマ」展は、このポンピドゥーの八六年の展覧会の時系列的に見て続編であるが、ポンピドゥーの精神――構造化され、明晰な展覧会を構築する技――を持つと同時に、その展覧会タイトルが暗示するように、遊園地の楽しい雰囲気も持ち合わせていた。（「コム・デ・ギャルソンの脱構築的衣コスチュームまで」とステートメントにも明示されたように。）

世界の向こう側からもたらされた様々なレッスンは、間違いなく日本のスターといえる草間彌生（八十八歳）による摩訶不思議なインスタレーション《水上の蛍》にあらわれるように、川辺に点在している白い石から白い石へ導く軌跡のように、観客を魅了した。「ドットの女王」草間が二〇一一年にフランスでの最初の回顧展でポンピドゥー本館で行なったこのインスタレーションの大成功は記憶に新しい。そしてロサンゼルスのザ・ブロード美術館はこのことをよく知っていたので、小さな光輝く楽園ともいえる彼女のインスタレーションの中での自撮り及びインスタグラムの使用時間を三十秒に限定したのだ。

時には困惑させる作品

ある意味で、日本は非常にユニークな国だ、と長谷川祐子は言う。二〇〇〇年以上の文化的伝統に特徴づけられた島国―国民国家である日本は、十九世紀末にアジアで最初に近代化した国の一つであり、文化的植民地になることから逃れ、自らの言語を保持し、独自の歴史を記してきた。

そして、一九七〇年は「ジャパノラマ」の出発点であり、日本のモダニズムの頂点であった。その年、大阪を会場とした万国博覧会「ＥＸＰＯ大阪一九七〇」、第十回日本国際美術展「東京ビエンナーレ一九七〇　人間と物質」などが開催され、国際的なコンセプチュアル・アーティストを多く迎え入れたのだった。この瞬間こそが、国が国としての文化的アイデンティティを主張し始める転換点であり、日本が「戦後秩序」つまり西洋の文化的影響から解放されようとする過渡期であったと長谷川は言う。

一九八〇年代の東京では、投機的なバブルの継続、技術革新の推進そして未来の日本文化に対する称賛などが、原子爆弾の鮮烈な記憶とそれがもたらした暗闇が一同に混ざり合っていた。（「ジャパン―ネス」のセクションでは、一九六八年の再廃墟化した広島が写真を通して捉えられ、また、建築家の磯崎新は瓦礫山の中にユートピアを黒で描き直した。）

世界の暴力は、伝統的なマンガや、着物あるいは屏風といった人畜無害なフォーマットの下に隠れてしまう。（一九九八年《コスモス》における村上隆のネオポップは、日本文化の下に、絵画技法と伝統的なイメージを銀屏風の中で混交させた。）つまりアーティストは、社会におけるすべての変化を作品として翻訳する。それらは比喩的で、謎めいており、そして時には鑑賞者を非常に困惑させるのだ。《ポスト・ヒューマン》の身体はしばしばその伝達者であり、更には《奇妙なもの》でさえあった。一九五六年、色とりどりの八十六個の電球で構成された田中敦子の《電気服》、一九六七年の工藤哲巳による《あなたの肖像》あるいは一九九六年、森万里子による奇妙で美しいビデオ《巫女の祈り》がそれを証明している。

そして不安はすぐさま戻ってくる。一九九五年一月十七日、阪神淡路大震災、一九九五年三月二十日、東京の地下鉄で宗教団体によるサリンガス攻撃。そしてこの意味で、最後の作品は一際目を引く。二〇一五年、名和晃平による《Force》、永遠の黒い雨が降り、それはまるで人間によって脅かされた未来のバーコードのようなのだ。

(『フィガロ』芸術欄、二〇一七年十一月二十八日付)

(訳・高木遊)

©VALERIE DUPONCHELLE

japanorama
1970-2017
galerie 3
objet étrange - corps post-humain
cultures pop et néo-pop
20 octobre 2017 –
5 mars 2018

ジャパノラマ

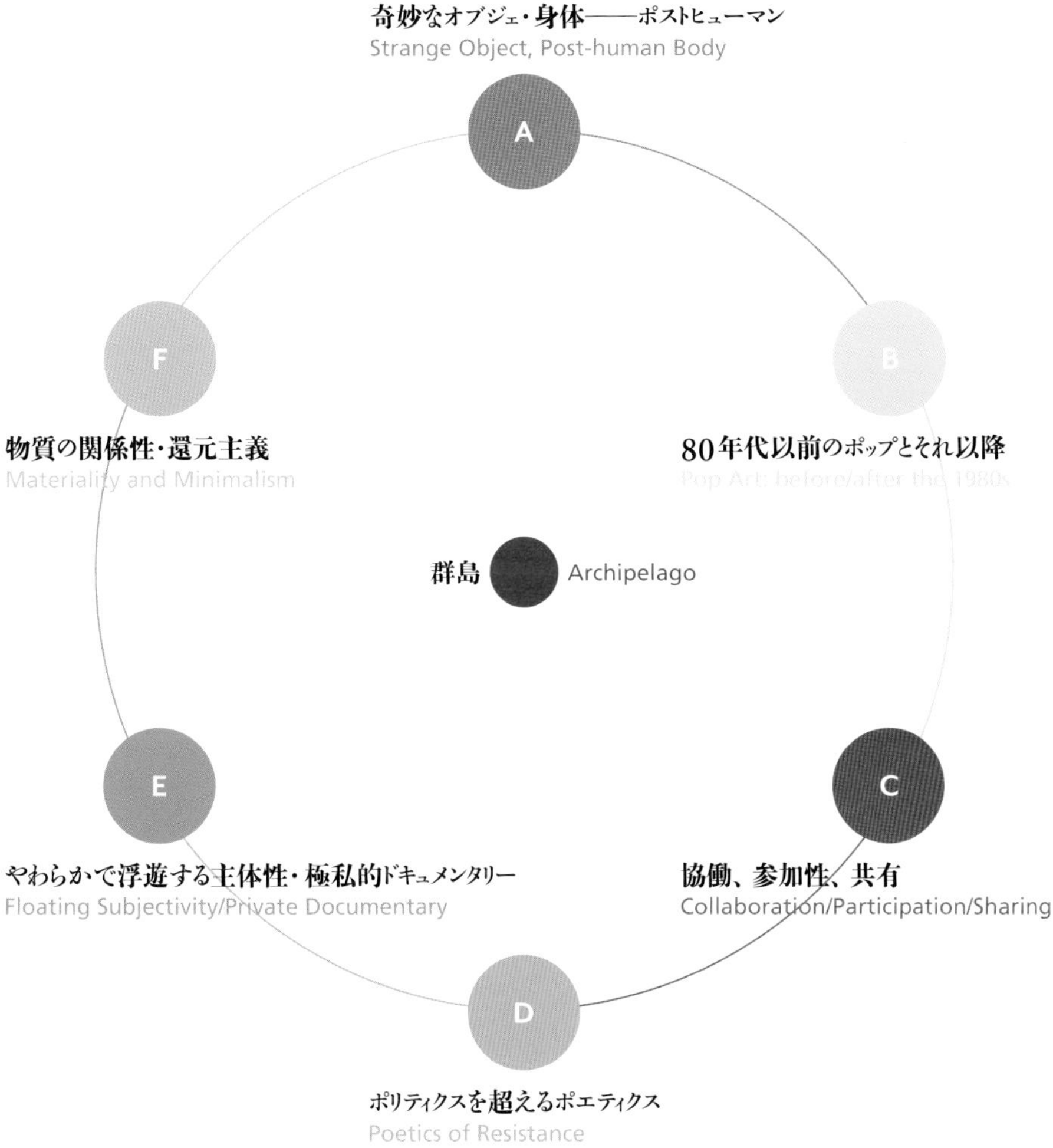
奇妙なオブジェ・身体――ポストヒューマン
Strange Object, Post-human Body
A
B
80年代以前のポップとそれ以降
Pop Art: before/after the 1980s
群島
Archipelago
C
協働、参加性、共有
Collaboration/Participation/Sharing
D
ポリティクスを超えるポエティクス
Poetics of Resistance
E
やわらかで浮遊する主体性・極私的ドキュメンタリー
Floating Subjectivity/Private Documentary
F
物質の関係性・還元主義
Materiality and Minimalism

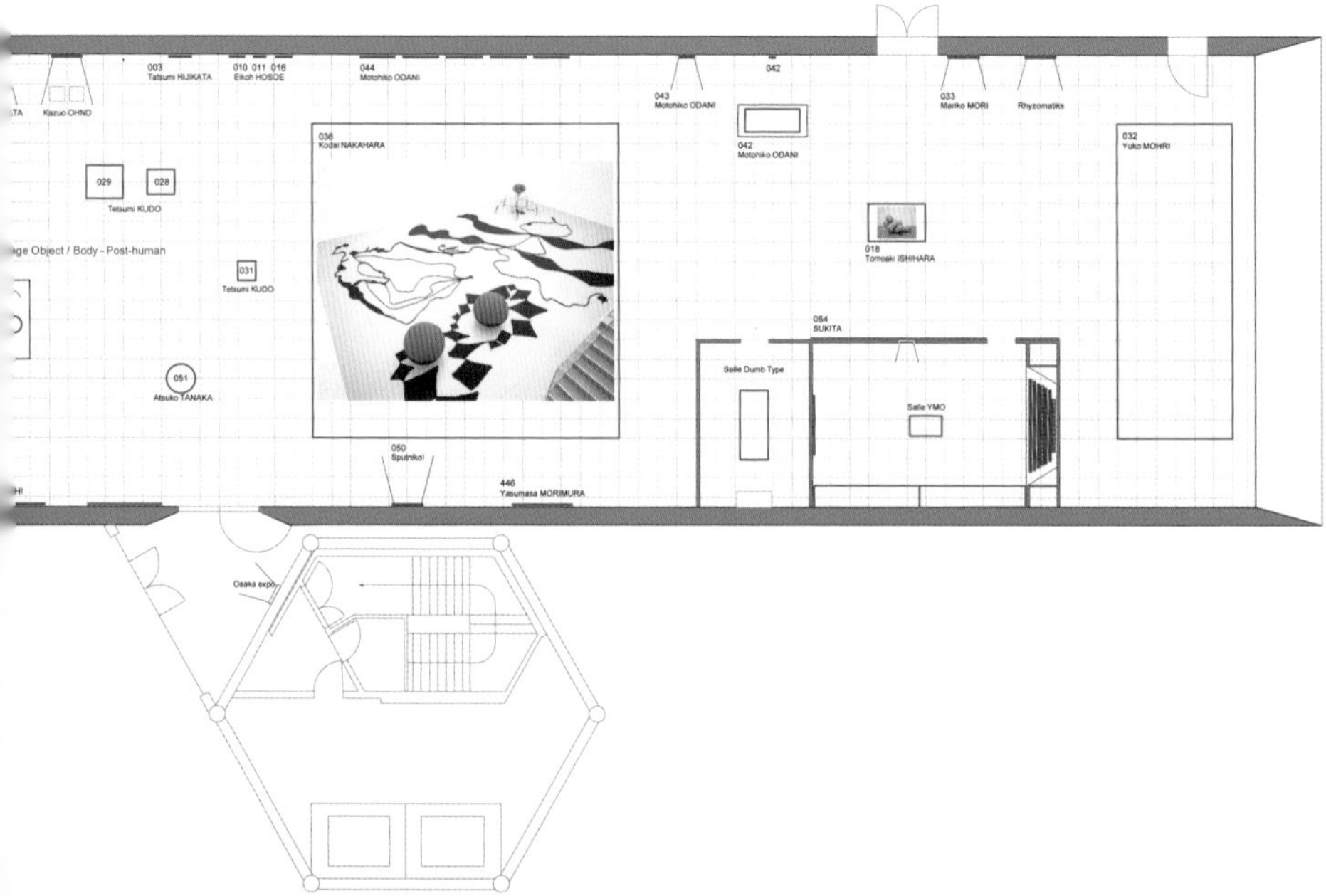

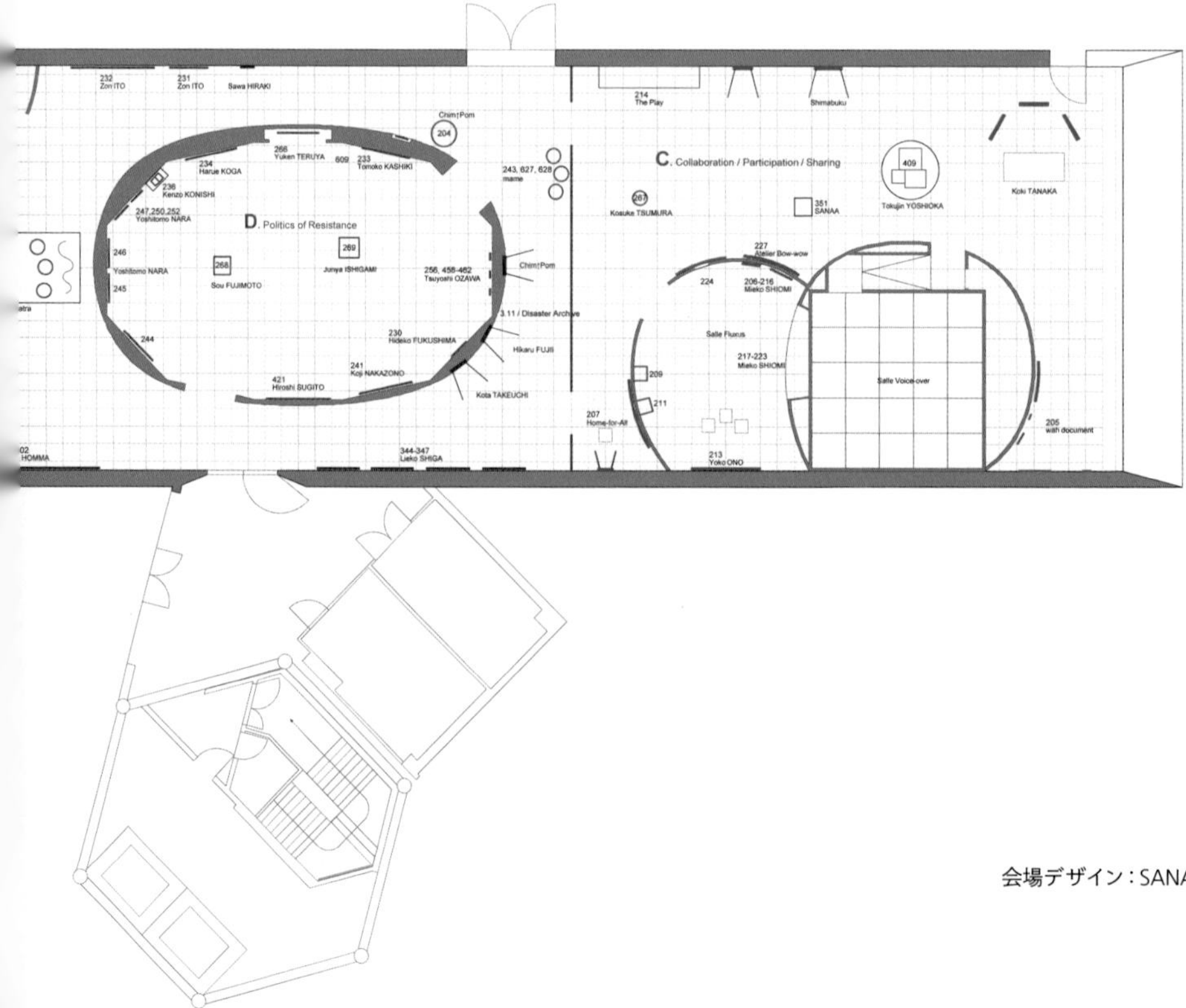

会場デザイン：SANAA

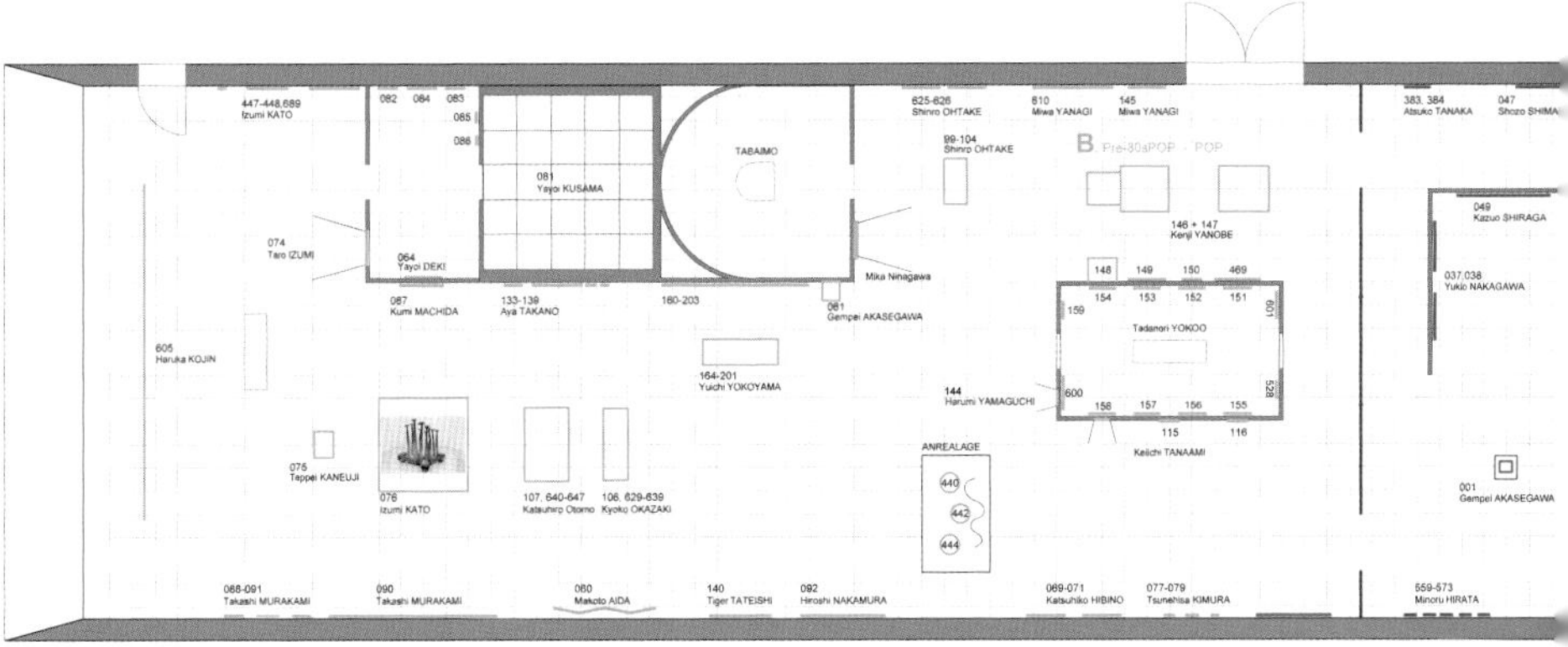

PLAN GALERIE 3

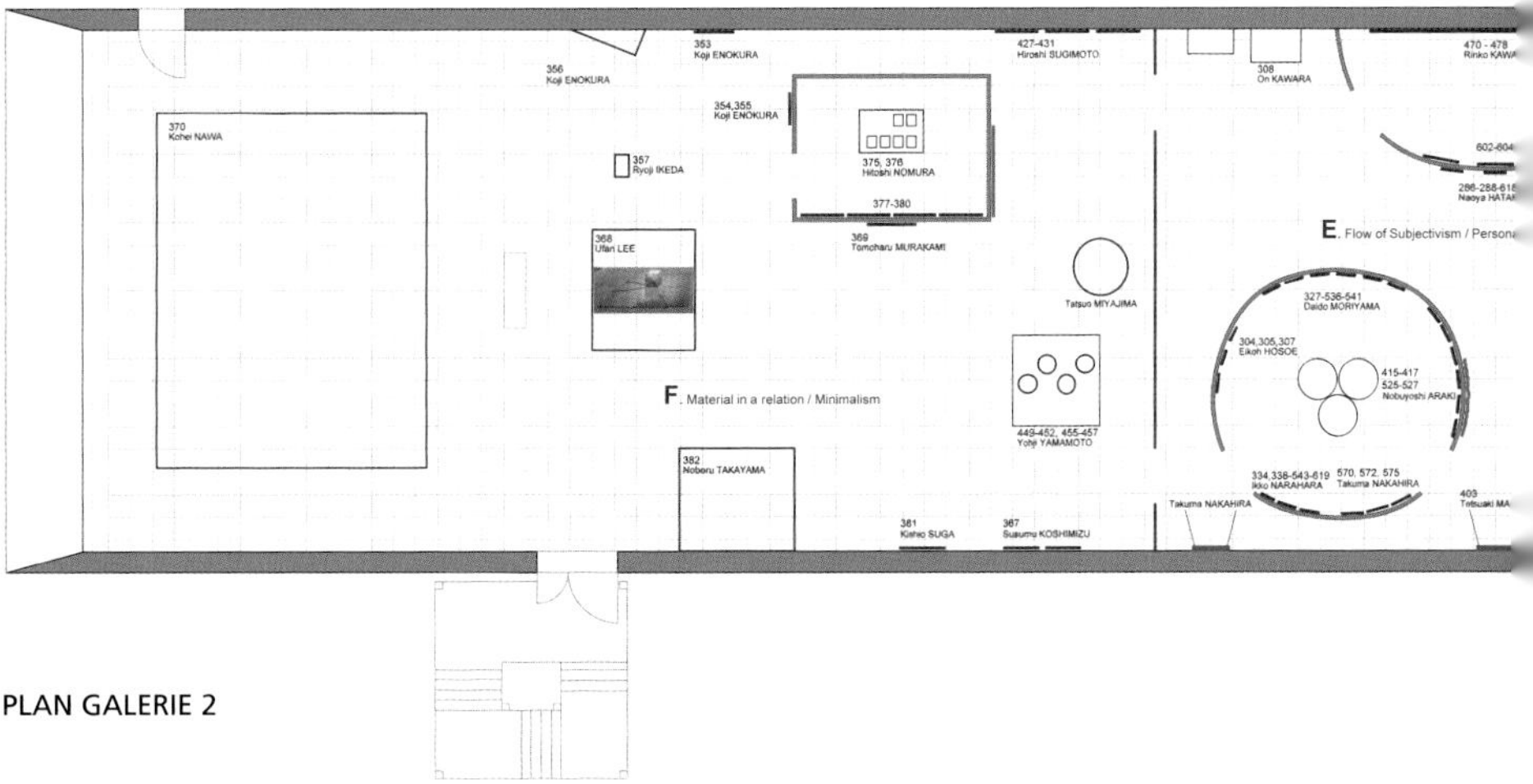

PLAN GALERIE 2

奇妙なオブジェ・身体——ポストヒューマン

Strange Object, Post-human Body

嶋本昭三
《作品（穴）》1950年頃

《ホール・セーター》（黒服、穴あきニット）の発表はファッション界に大きなショックを与えた。カラスのようだと酷評されもした黒の使用を通じて、西欧の美の基準とは違う新たな女性の美の創設を成し遂げた。

1997年、川久保は《ボディ・ミーツ・ドレス、ドレス・ミーツ・ボディ》を発表し、西欧の美のスタンダードに支配されたボディ・イメージを異化することに成功した。身体の様々な部分がコブのような膨らみで覆われたドレスは着る人の身体のシルエットを激しく変容させ、奇異な彫刻として出現させる。川久保玲は、ファッション史において重要な役割を果たした一人として、次世代のデザイナーに強い影響を与えながら、新たなコンセプトで見る人を当惑させ続けている。（M.O.）

嶋本昭三（1928―2013）

1954年に芦屋で結成された日本の前衛芸術家グループである具体美術協会の創立者の一人。1980年にはアート・アソシエーションAU（Art Unidentified）を創設し、若い芸術家の教育に尽力した。

著作『芸術とは、人を驚かせることである』（1994）のタイトルで宣言されているように、嶋本は生涯を通じて、誰も見たことない挑戦をし続けた。今日では「穴」と呼ばれ世界中で知られる全く新しい絵画は1950年に着想された。嶋本はこの作品によって、師匠で具体美術協会創立者の一人である吉原治良に才能を認められ、海外メディアにも注目された。この「穴の開いた絵」は、戦後の物不足で制作のための材料が手に入らない中、小麦粉と新聞紙を混ぜて作っていた乾ききらないキャンバスを誤って破いてしまうというアクシデントから生まれた。クレーンで吊るされた状態で絵具の入ったボトルを地面に投げることによって絵を描く「アクションペインティング」など、嶋本の表現にしばしば見られる偶然性の重視はこの経験に由来する。嶋本の坊主頭にメッセージを書く「ヘッドアート」や友人や知人に手紙を送ってくれるよう依頼した「メールアート」、何百人もの女性が裸で拓をとる「女拓」などに見られる参加者とのコラボレーションも作品を構成する重要な要素となる。（M.O.）

赤瀬川原平
《風》 1963/85年

川久保玲
《Comme des Garçons》 1982年

赤瀬川原平（1937—2014）
本名は赤瀬川克彦。武蔵野美術学校（現：武蔵野美術大学）油画科を中退する57年頃から日本アンデパンダン展や読売アンデパンダン展に出品し始める。60年に上京し、荒川修作、篠原有司男、吉村益信らとともに「ネオ・ダダイズム・オルガナイザーズ」に参加。63年には高松次郎、中西夏之とともに「ハイレッド・センター」を結成、翌年にかけて多数のハプニングを行う。同じ時期、個人としては日用品を包装紙で包む「梱包作品」を発表する一方、千円札の印刷物を作品に使用する。とりわけ「模型千円札」の作品は模造通貨として問題となり、64年に起訴され、66年から「千円札裁判」が始まる。法廷では美術評論家の瀧口修造などが特別弁護人を務め、様々な前衛芸術作品が証拠品として登場するなど、珍風景が繰り広げられた。にもかかわらず70年有罪が確定。その後、赤瀬川は活動の幅を広げ、漫画や「パロディ・ジャーナリズム」を展開する。78年からは小説を発表し始め、79年からは尾辻克彦というペンネームを使用し、81年には芥川賞を受賞。82年には以前から興味を持っていた「建築物に付随しながらも無用な長物」を「トマソン」と命名し、その後も観察を続けた。90年代に入ってからも、ライカによる写真を発表するほか、著書『老人力』がベストセラーになるなど、精力的に活躍し続ける。2014年、千葉市美術館での回顧展の直前に他界。（K.L.）

川久保玲（1942— ）
前衛的デザイナーとして1980年代以降のアンチファッションを推し進めてきた世界で最も著名な日本人デザイナーの一人。慶應義塾大学で哲学を学んだのち、ファッションの世界に転向し、1969年には自身のブランド，コム・デ・ギャルソンを創設する。川久保玲は、1980年代のパリのファッション界において「ニューウェーブ」呼ばれる旋風を巻き起こし高く評価された高田賢三や三宅一生といった日本を代表するデザイナーらと世代を共有する。

1982年のプレタポルテのコレクションで発表した

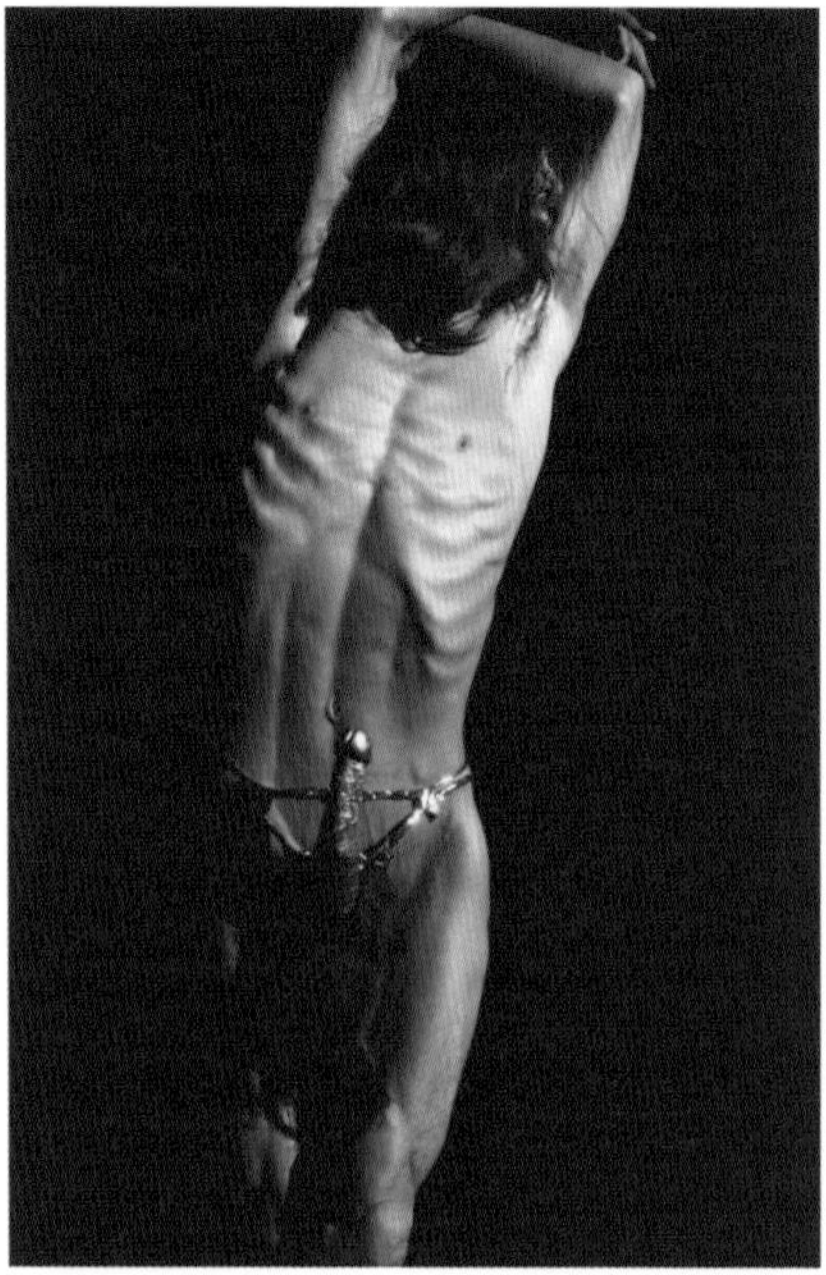

土方巽
《土方巽と日本人　肉体の叛乱》1968年

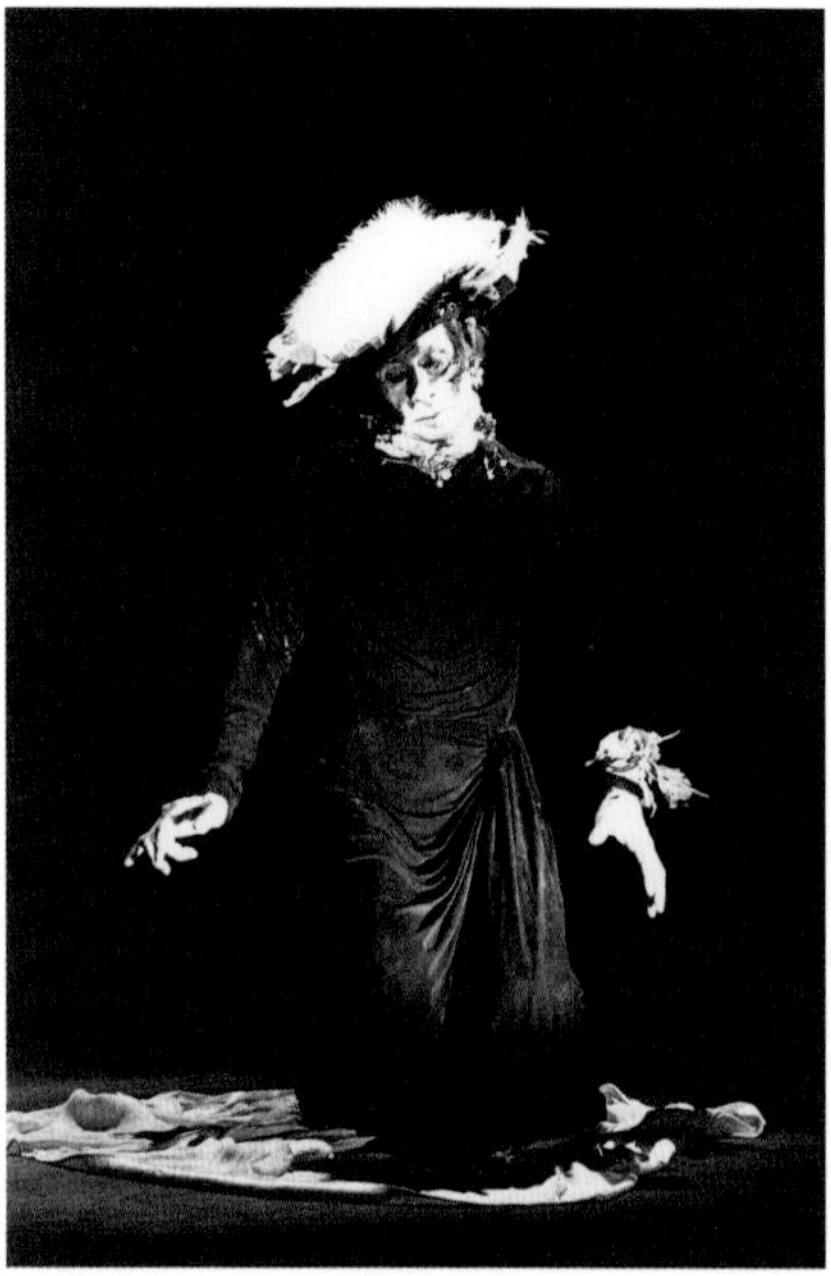

大野一雄
《ラ・アルヘンチーナ頌》より1977年初演

細江英公
《鎌鼬》#17　1965/2010年頃

田中敦子
《電気服》1956/1999年

田中敦子（1932—2005）

美術家。1951年京都市立美術大学中退の後、大阪市立美術館付設美術研究所に学ぶ。同研究所で後に夫となる金山明と出会い、その助言によって抽象画に関心をもつ。1952年、金山、白髪一雄、村上三郎らと前衛美術集団「0会」への参加を経て、55年から65年まで吉原治良が主導する「具体美術協会」の一員として活動する。

布に日付を書いたカレンダー絵画にはじまり、田中の関心の中心にあったのはタブローであった。ピンクの布を地上30cmの高さに張り、それが風にはためく様を作品としたり、ベルを床に配置し、それが順々に鳴ることで空間に音の「絵画」をつくるなど、彼女は非物質的な要素をメタフォリカルに作品化した。具体グループの中では出色のコンセプチュアルな作家であった。渡米したオノ・ヨーコや草間彌生と異なり、日本を活動拠点としたが、その評価は2000年代から国際的に高まっている。

出品作の《電気服》は、9色の合成エナメル塗料で塗り分けられた管球約100個と電球約80個をつなぎあわせ、人が着ることができる形状にしたもので、「第2回具体美術展」(1956)で発表された。最初にこれを着た田中は不規則に明滅する光に怖れを感じるとともに電気エネルギーが光になり、一瞬でつながっていく感覚を実感した。そのコネクティングの体験を、電球と管球、電気コードから着想を得たフォルムによって、色鮮やかな合成エナメル塗料絵画として生涯描き続けた。(Y.H.)

平田実
《BE CLEAN! 首都圏清掃整理促進運動　ハイレッド・センター》1964/2017年

中川幸夫
《花坊主》 1973年

工藤哲巳
《若い世代への賛歌——繭は開く——》 1968年

中西夏之
《洗濯バサミは撹拌行動を主張する》 1963年

森村泰昌
《なにものかへのレクイエム
(創造の劇場/マルセル・デュシャンとしての私[ジュリアン・ワッサー氏撮影の写真に基づく]))》2010年

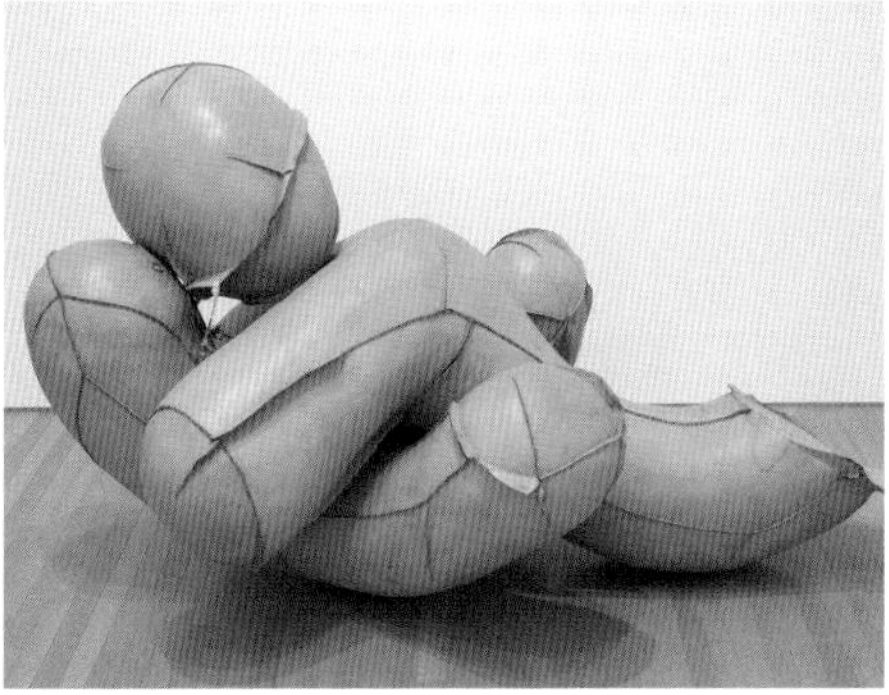

石原友明
《I. S. M.(H)》1989年

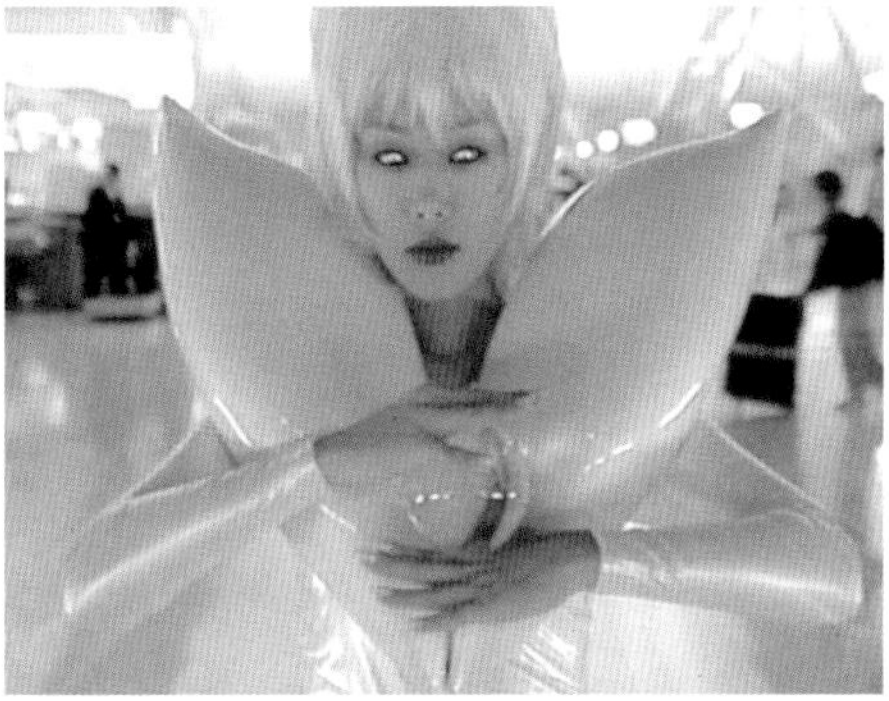

森万里子
《巫女の祈り》1996年

中原浩大
《ビリジアンアダプター＋コウダイノモルフォⅡ》1989年

中原浩大（1961—）
中原浩大は、多様な表現を通じて、アカデミズムに支配された伝統的な彫刻の枠組みに新たな一石を投じてきた彫刻家である。彫刻を異化するため、異なるメディウムを融合させ、異なる手順を探求し、制作過程を重視する。1990年代にはメディウムの存在論について問い、レゴブロックやプラモデル、フィギュアといった異なる玩具や産業的素材を利用した作品を制作した。

2010年、火災によって作品の大部分を失い、これをきっかけに、「自己模倣」と題して失われた自作を再現する活動を始める。火事という事故を単なる悲劇ではなく、ある種の挑戦と捉え、失われた作品を再発見し、再現し、再考した。ひどく破損した作品は修理し、その記憶を保存した。もののオリジナルとコピーについての中原の思想は、レディメイドの素材を選ぶ行為に明確に現れている。

1989年に発表した《ビリジアンアダプター＋コウダイノモルフォⅡ》には、1960年代から1970年代に渡って自然の素材と人工物を融合させて空間的・時間的創造を試みた芸術運動である「もの派」の影響が色濃く現れている。床一面に広がる編み物でできた様々な形態と完全な異物として放り込まれた巨大な朱色の球体によって構成された空間は、絵画的でありつつ身体的なダイナミズムを持つ。本作品を通じて、慣習的な彫刻概念から逸脱した全く新しい彫刻作品を生み出した。（M.O.）

小谷元彦
《ファントム・リム》1997年

小谷元彦(1972—)

美術家。東京芸術大学美術学部、及び大学院で彫刻を専攻。小谷は、多様な手法と素材を用いて、ヴァーチャルで曖昧な時代の彫刻のあり方を探求してきた。「ファントム(幽体)」という彼のキーワードが示すように、小谷の関心は、存在－非存在、覚醒－半覚醒、人間－非人間の間にある両義的な中間領域にある。そこで生じる身体や知覚、意識、および物質の変化を「メディアとしての彫刻」を拡張解釈、脱構築することで表現しようとする。それは日本の伝統的な仏像彫刻、近代彫刻の批判的止揚でもある。毛髪を編んだドレスや拘束具をつけた動物、機械と人間のハイブリッドなどの作品は、痛みや恐怖などの身体感覚や精神状態、異形のものへの共感と連続性である。

出品作《ファントム・リム》は(切断され)手を失ったかのように見える少女のin-betweenの状態をあらわしている。題名は、失った手が今尚痛みを感じるという精神医学用語の幻影肢からとられている。また人毛を編んで作られた《ダブル・エッジド・オヴ・ソウト(ドレス2)》は、皮膚としての彫刻－物質へのフェティシズムをよく示している。《ロンパース》はデヴィット・リンチを思わせる強烈なイメージと色彩でつくられた触覚的な「彫刻映像」とも呼べるヴィデオ映像である。虫をカメレオンのように捕獲する変異体としての美少女が未来のダークファンタジーとして描かれている。(Y.H.)

スプツニ子!
《生理マシーン、タカシの場合。》2010年

ライゾマティクス
Perfume パフォーマンス映像（カンヌライオンズ国際クリエイティヴィティ・フェスティバル）2013年

YMO（写真：鋤田正義）
『ソリッド・ステイト・サヴァイヴァー』
アルバムジャケット 1979年

大友克洋
《AKIRA》 1982—1990年

ライゾマティクス（2006—）

ライゾマティクスは企業でもあり、ハード／ソフト面の機械工学、グラフィック／webデザイン、そして音や映像から企画まで様々なデジタル領域の精通者たちによるコレクティブでもある。産業、商業、メディア・アートが交わる点で、最先端技術の可能性を拡げる挑戦をしている。「ライゾマティクス」という名前は、根が織りなす有機的で複雑なネットワーク、それを生成する「地下茎」を意味するジル・ドゥルーズの概念として有名な「リゾーム」という語に由来。広告、美術館、舞台装置、教育ツールと事業が多方面に展開していく中で、2016年、新たに「リサーチ」「アーキテクチャー」「デザイン」の3つの部門を設けた。リサーチ部門は、創始者の真鍋大度と石橋素を中心として未開拓の領域に挑戦。機械と人類の実空間内で同時に存在する状況の可能性を追求するため、外部の芸術家や研究者たちと協働し、現象、身体、プログラミング、コンピューターの精巧な同調によって生まれる表現を試してきた。例えば、2011年より始まった、ダンス・カンパニー ELEVENPLAYとの協作は、2016年のリオ五輪の閉幕式のパフォーマンスへと発展した。また、単独で、東京証券取引所の市場第一部（東証一部）とAIの影響を扱った《Traders》（2013）、ビットコイン市場での価値の劇的な推移を可視化した《chains》（2016）といったインスタレーション作品を発表した。（J.U.）

ダムタイプ
《pH》1990年

ダムタイプ（1984—）

ダムタイプは、京都市立芸術大学の学生を中心に結成されたマルチメディア・パフォーマンスアーティストグループであり、映画、絵画、建築、デザイン、コンピューター・プログラミング、音楽といった様々な専門分野のアーティストによるコレクティブである。ヒエラルキーやリーダーを持たない新しいタイプのグループとしても知られている。

領域横断的なパフォーマンスやインスタレーションを展開するダムタイプは、現代社会のセクシュアリティ、ジェンダー、人種間の既存の境界線への問いに挑戦し続けている。伝統的な演劇スタイルを採用する代わりに、「ダム（発話の拒否）」を演じることを選びつつ、作品のセノグラフィーは、ほとんど自律的に機能する機械・情報システムとして精緻に作り上げられている。ダムタイプは、身体とデジタル・テクノロジーの相互作用によって生み出されるポストヒューマンの視点を表現する先駆者となる。

代表作である《S / N》（1994）において、グループの求心力であった古橋悌二は、自らがHIV陽性であることをカミングアウトした。制作プロセスを含め、このパフォーマンスは社会の様々な側面に内在している差別に対し、直接的なメッセージを通じて批判的にアプローチしたため、大きなセンセーションを巻き起こした。1995年、古橋はエイズによる敗血症で逝去するが、古橋の死後も洗練されたパフォーマンスを精力的に発表している。（S.K.）

毛利悠子
《parade》2011—2017年

B

80年代以前のポップとそれ以降

Pop Art: before/after the 1980s

横尾忠則
展示風景

横尾忠則
《オートバイ》 1966/2002年

田名網敬一
《Untitled（Collagebook 3_07)》1973年

横山裕一
《カラー土木》2004年

中村宏
《円環列車Ａ（望遠鏡列車）》1968年

タイガー立石
《アラモのスフィンクス》1966年

木村恒久
《豚に吠える》1980年

東芋
《お化け屋敷》2003年

木村恒久（1928–2008）

デザイナー。大阪市立工芸学校（現：市立工芸高校）図案科卒業。50年代は主に大阪でポスターや新聞広告などのデザイン制作を行った。当時、永井一正、片山利弘、田中一光らとともにデザイン研究会「Aクラブ」を結成、「若手四天王」とも呼ばれた。60年に上京した後、彼らとともに日本デザインセンターの設立に参加するが、64年には独立。同年に開催された東京オリンピックのピクトグラムの制作も手がけた。66年には戦後第2世代と呼ばれるデザイナー11人が集まったグループ展「ペルソナ」に出品し、68年には東京造形大学助教授（後に客員教授）となる。この頃からフォトモンタージュの技法を用いるようになり、日本におけるフォトモンタージュの先駆けになると同時に、社会風刺的側面を表し始めた。75年頃からはモノクロからカラー・モンタージュへ移行。木村はフォトモンタージュにおいて、自分で写真を撮ることはなく、全て既存のイメージを複製して再構成した。特に多く見られるのは破壊されている巨大都市の模様。木村自身はこれらを現代の地獄絵と呼び、そこには庶民の間に根強い地獄信仰や、戦時中の実際の体験が含まれていると語った。背景となるのは架空の、典型化された都市の風景であるが、高度経済成長期の東京を象徴し、そのカタストロフへの予感を表しているとも解釈される。デザインの仕事以外に雑誌の連載など批評も多く手がけたことでも知られる。（K.L.）

山口はるみ（1941―）

イラストレーター。東京芸術大学油画科卒業。大学4年生の時に日本宣伝美術会（Japan Advertising Artists Club、略称JAAC）の展覧会に深い印象を受け、商業美術に興味を持つ。特に、デパートなど流通業の広告の仕事に憧れ、西武百貨店宣伝部に入社、広告のイラストレーションを担当する。67年からはフリーのイラストレーターとなったが、その後も流通関係の仕事を望み、69年にオープンした百貨店PARCOの広告を担当する。この時PARCOの広告は物ではなくイメージ、とりわけ自立した強い女のイメージをテーマとした。山口によるポスターは最初の頃は平面的なイラストレーションであったが、73年からはエアブラシによるスーパーリアルな表現に変わり、それが85年まで続く。このエロティックで力強く、凛とした女性像は「Harumi Gals」と呼ばれ、PARCOを代表する顔となる。社会学者・上野千鶴子はこの「Harumi Gals」を「過剰でやりすぎる」、「サイボーグのような」、「女を演ずる女のドラッグ・クィーン」だと評した。その後はエアブラシから離れ、88年から97年までは20世紀の著名な女性たちの肖像画をポスターにする「のように」シリーズを発表した。この時は毎回絵のタッチを変えるという挑戦をした。同時期にブランドの広告や挿絵の仕事も手がけ、主に商業空間で発表された彼女の作品は、2000年代から展示の対象となり、現在に至るまで持続的に個展が開かれている。（K.L.）

山口はるみ
《サスペンダーの水着》
1983年

日比野克彦
《PRESENT SOCCER》1982年

大竹伸朗
《Scrapbook #68》2014—2016年

大竹伸朗（1955—）

1980年、武蔵野美術大学造形学部油絵学科卒業。東京に生まれ、1988年に宇和島へと拠点を移す。1977年の在学中に渡英。アート、音楽、デザインの分野で後に活躍する若いアーティストたちとの交流を深めるなか、代表的なシリーズとなる「スクラップブック」を制作し始める。引きちぎられたポスターや値札、写真、硬貨、新聞、切手、チケットそのほか大量生産で生まれた印刷物といった、路上で彼の関心を引いたあらゆるものを集め貼り付けていく。この「貼る行為」に宿る混沌とした力強さは、おびただしい物量と繰り返される行為の累積を通して、本という形式の下、ファウンド・オブジェクトを彫刻へと変換してしまう。オブジェクトの持つそれぞれの時間や記憶は、ワックスや着色剤、ニス、プラスチック、繊維ガラスといった異なる物質とともに生き生きと封じ込められているかのようだ。加えて、路上の光や音といった物質的存在を持たないものでさえも作品として構成する。実際に、音やノイズは大竹の作品にとって重要な役割を持つ。「過剰な累積がある質量を超えたとき静寂を生む」と大竹は言う。衝動に任せて片っ端から貼っていく行為は、様々な媒体を通してそのエネルギッシュな構築物を生み出していく。（J.U.）

ヤノベケンジ（1965―）

美術家。京都市立芸術大学大学院美術研究科修了。子供時代に「人類の進歩と調和」をテーマとした大阪万博に熱狂し、機械技術やロボットが登場する日本の漫画やアニメ映画に惹きつけられた。そんな彼は、人々を助けるマシーンを発明するクリエイティヴな科学者になりたいと願っていた。その結果、荒廃した世界の中でも生理食塩水を入れたタンクの中へ浸かり瞑想することができる体験型作品《タンキング・マシーン》（1990）を制作した。その後も「サバイバル」というテーマを軸に、彼特有の「妄想」に従って、鑑賞者が乗って操縦できる大きな機械彫刻作品を作り続けてきた。だが、1995年の地下鉄サリン事件と阪神・淡路大震災に代表される世紀末的雰囲気に直面し、イノベーティヴな創造の作品だけに満足をできなくなった。そこで、1997年に、原子力発電所の悲惨な事故の爪痕が今も残るチェルノブイリを訪ねる《アトムスーツ・プロジェクト》（1997）を行なった。このプロジェクトを機に、作家の「妄想」から生まれる世界とそこから自律した現実とを結びつける新たなつながりを生み出していく。「リバイバル」へとテーマをシフトさせながら、東日本大震災後の《サン・チャイルド》プロジェクト（2011―）のように、機械と人を組み合わせた彫刻を制作してきた。（J.U.）

ヤノベケンジ
《アトムスーツ・プロジェクト：大阪万博1》1998年

金氏徹平
《White Discharge（建物のようにつみあげたもの）#20》2012年

やなぎみわ（1967—）

美術家。京都市立芸術大学大学院美術研究科修了。コンピューターを用いて制作された写真シリーズ「エレベーターガール」（1994—1999）で注目される。このシリーズは、ある特定の場所に基づいてコンピューターで作成した非現実的空間と、その中でエレベーターガールの制服に身を包み、無表情で機械的な姿勢の若い女性を写し出している。日本の高度経済成長、その機械的な生産様式や男性原理がもたらした社会的な行き詰まりを、当時最先端だった技術を用いてアイロニカルに描き出しているようだ。日本社会における女性のジェンダーは、やなぎの中心的なテーマとなり、「マイ・グランドマザーズ」シリーズ（1999—）へと結びついていく。このシリーズは、14歳もしくは20歳の女性に「50年後の自分はどうなっているか、どうありたいか」といった質問を投げかけるインタビューから始まる。興味深い内容の回答に対して、その年老いた女性のイメージをやなぎが絵に描き、写真として構成しなおす。写真は老女が話すであろう文章とともに作品となる。インタビューに応じた少女と作家との想像によって開けた光景は、「若ければ若いほど良い」という日本に長らく横たわっている女性観をひっくり返すだろう。そこでは、女性のライフサイクルの中で老いることで得ることのできる強さ、そして、どのように老いていくことができるのか、といった生き方の多様なあり方が示されている。（J.U.）

やなぎみわ
《My Grandmothers: YUKA》2000年

村上隆（1962—）

美術家。世界のアートシーンにおいて最も影響力のある日本人芸術家の一人。東京芸術大学で日本画専攻で博士号を取得するが、マンガ・アニメといったオタク文化の強い影響が作品を貫いている。1995年、アートマネジメントの会社カイカイキキの前身となるヒロポンファクトリーというアートスタジオを立ち上げ、文化的特徴を共有する若いアーティストをサポートした。2011年からは現代美術の祭典であるGEISAIを主催し、若いアーティストに発表のチャンスを与えている。

「スーパーフラット」は、遠近感を欠いた二次元的な構図で描かれるマンガの影響を共通の特徴として持つアーティストグループを定義するため、村上によって提唱された芸術概念である。この特徴はすでに日本のポップアート（あるいはネオ・ポップ）の特徴として注目されていたが、村上はさらに、この特徴が平板で余白が多い伝統的な日本画や浮世絵を参照したスタイルであると再定義し、漫画やアニメやフィギュアなど異なるタイプの作品を展示した2000年の展覧会「SUPER FLAT」でこれを具体化した。

《コスモス》（1998）は、キャラクター化された笑顔のコスモスの花が銀箔の屏風に散りばめられたポップな色彩の作品であるが、構図は明らかに琳派の絵画からの流用である。村上は、過剰となったポップの要素が空間の重みを逸脱する性質を巧みに利用した平面作品およびインスタレーションを実現する。（M.O.）

村上隆
《コスモス》1998年

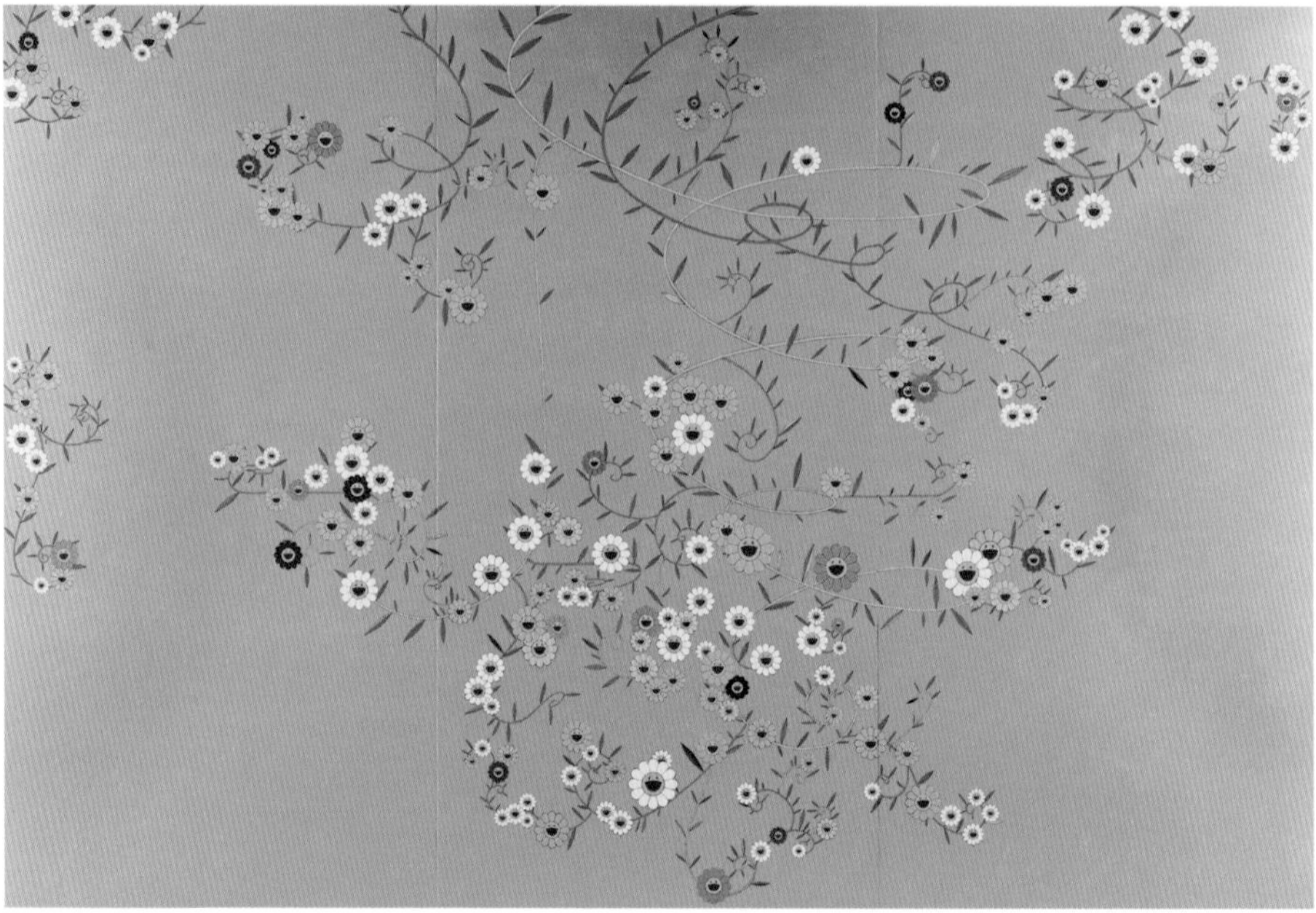

会田誠
《題知らず(戦争画RETURNS)》 1996年

会田誠(1965—)
美術家。東京芸術大学油画専攻卒業、同大学院修了。絵画作品を中心に、映像や立体、パフォーマンスなど様々なメディアを用いた作品を通して、日本の美術制度や歴史、社会に対して批評的な視点を提示している。

会田の作品のモチーフは、美少女、エログロ、暴力や戦争、政治など多様で、現代と近代以前、西洋と東洋の境界を縦横無尽に横断する。特異な私小説的アプローチと、諧謔やアイロニーをまとった批評性。それらが江戸時代の浮世絵や絵画の系譜をひいたグラフィック性や奇想天外なイメージの対比によって表現されることで、会田に時代を映し出す「絵師」として強い存在感を与えている。個人の活動に加え、同年生まれの作家と結成した「昭和四○年会」、岡田裕子主催の人形劇団「劇団☆死期」の活動に加え、小説や漫画の執筆など活動は多岐にわたる。

出品作《題知らず(戦争画RETURNS)》は、古い四曲一隻屏風にビニール製テーブルクロスを貼り、そのチープな素材の上にエナメル塗料で描かれている。戦争画は第二次大戦中、画家たちが戦意高揚のために描かされたもので、これを批評的に再考するシリーズが「戦争画RETURNS」である。その中で有名な《紐育空爆之図(戦争画RETURNS)》は、16世紀の《洛中洛外図屏風》の構図を元に、京都をマンハッタンに、螺鈿の雲を零式艦上戦闘機に置き換え、描画した。本作はパルテノン神殿と広島の原爆ドームをジョイントさせた構図で、廃墟と歴史的モニュメントの意味を問いかけている。(Y.H.)

できやよい
《みみちん》1998年

タカノ綾
《Milk of tender love》2003年

アンリアレイジ（森永邦彦）
2011年秋冬コレクション「Low」よりアンサンブル　2011年

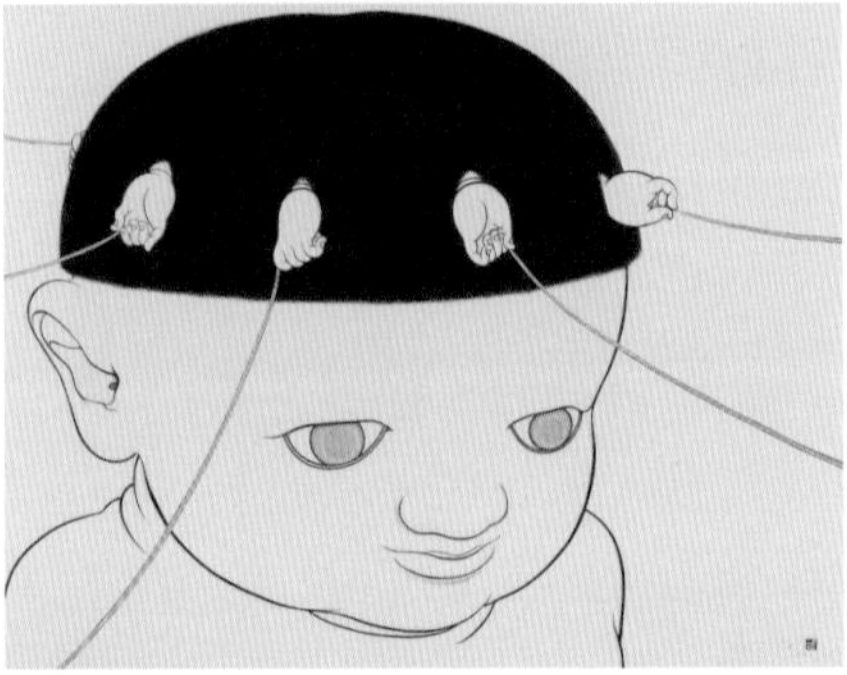

町田久美
《訪問者》2004年

泉太郎
《無題候補（虹の影が見えない）》2015年

草間彌生（1929—）

美術家。ドローイング、絵画、彫刻、インスタレーション、詩、小説など、さまざまな媒体を用いて国際的に活動する。幼少期から幻覚として見続けている水玉模様や網をしばしばモチーフにしている。1957年にニューヨークに渡り、非常に独特な形の水玉と網が無限に増殖していく作品は、1960年代のミニマリズムあるいはポップといったニューヨークの主要なアートシーンに強い影響を与えた。また、ニューヨーク滞在中、ラディカルなパフォーマンス「ハプニング」を行う女性アーティストでもあった。ハプニングでは、性差や男性中心主義に対抗し、ベトナム戦争反対を訴えるため、水玉模様を裸体に描くヌードデモが行われた。

1993年、日本館代表として、第45回ヴェネツィアビエンナーレに参加して以降、アヴァンギャルドの女王として認知され、この時期から国際的な再評価を獲得し始める。草間は一貫して「自己消滅」、「集積や反復」というユニークな概念を通して自身のオブセッションを克服することに挑戦し続けている。《水上の蛍》（2000）では、電球、鏡、水によって正確に生み出される果てしない無限空間を通して、鑑賞者は、「自己消滅」のプロセスを身体的に体験できる。草間の芸術哲学の中で、しばしば「愛」とも置き換えられる「無限」のコンセプトを表現する作家の極限のバイタリティを、作品から辿ることができる。（S.K.）

草間彌生
《無限の鏡の部屋——水上の蛍》2000年

岡崎京子（1963—）

漫画家。高校時代からイラストや文章を雑誌に投稿するようになり、跡見学園女子大学短期大学部在学中の1983年に漫画家としてデビューした。

岡崎が頻繁に作品を発表した80年代から90年代後半にかけては、バブル景気とその余波により日本社会や街の風景は大きく変貌する。そんな中、岡崎が好んで描いたのは、常に時代の空気に影響される少女たちの不安や絶望、消費や人間関係によってもたらされる一瞬の幸福感であった。

代表作であり、蜷川実花によって映画化もされた『ヘルタースケルター』（1995—1996年連載）では、全身整形によって自ら切望した美貌を手に入れ人気モデルとなったリリコが、外面にしか興味を示されない虚無感に苛まれ、やがて過度な整形による後遺症によって破滅していく姿が描かれている。『リバーズ・エッジ』では若い男女が、郊外の河川敷で死体を発見する話で、死との対面のリアリティを表わした。

岡崎が作品にこめた彼女の関心、すなわち流行のファッション、音楽、映画、文学、アートなどは色濃く作品に反映されている。そのため当時の時代やそこにあった文化を映し出した鏡としても読み解くことができるであろう。

1996年に不慮の交通事故に遭い、リハビリのため作品の制作を休止している。2015年には世田谷文学館で大規模な回顧展が開催され、岡崎作品の再評価へとつながった。（A.K.）

岡崎京子
《リバーズ・エッジ》1993—1994年

蜷川実花
《Tokyo道中》2017年

加藤泉
《無題》2010年

荒神明香
《reflectwo》2008/2017年

"Home-for-All"
"Home-for-All" in Kumamoto
2011.3.11 Tohoku earthquake and tsunami
"Home-for-All" in Tohoku
Sea of Japan
North Pacific Ocean
Philippines Sea
2016.4.16 Kumamoto earthquakes
"Home-for-All" in Kumamoto
Japan

C

協働、参加性、共有

Collaboration / Participation / Sharing

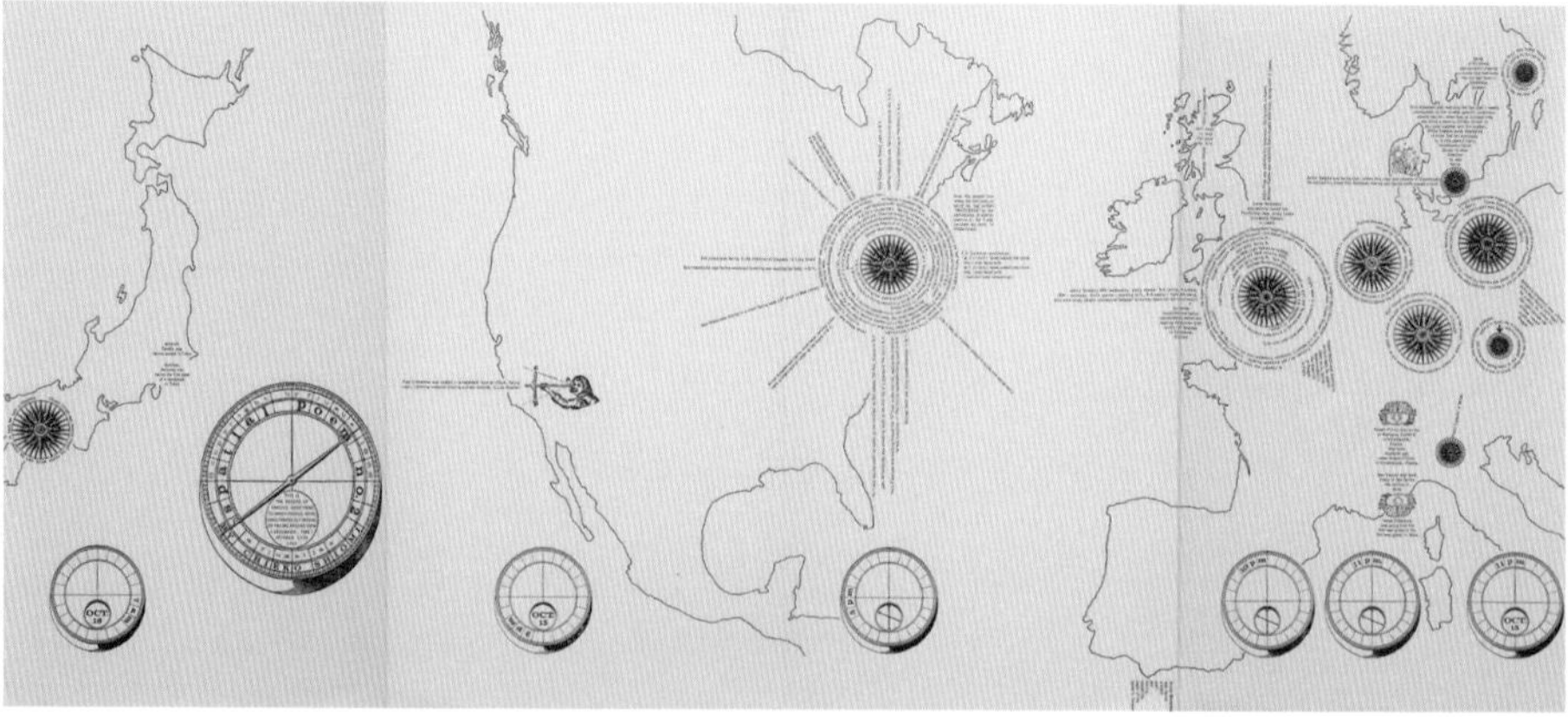

塩見允枝子
「スペイシャル・ポエムNo.2 『方向のイヴェント』」《フルックス・アトラス》 1966年

塩見允枝子（1938－）
本名は千枝子。彼女は、音楽、造形芸術、詩とパフォーマンスにまたがるインターメディア的活動を行う中でも、自身を作曲家と定義する。東京芸術大学楽理科在学中の60年に「グループ・音楽」を結成し、即興演奏やミュージック・コンクレートなどを発表したのが本格的な活動の始まりであった。その後、音楽／音を視覚化した《エンドレス・ボックス》や音楽と自然要素を結びつけた《ウォーター・ミュージック》など、音楽の新しい形態を試みる作品を制作。64年には渡米、フルクサスに参加する。65年の帰国後はその影響からイヴェント、とりわけ郵便を利用した参加型の「ディレクション・イヴェント」と呼ばれる《スペイシャル・ポエム》の制作を始める。同時期に、「インターメディア」という言葉の登場にともない、テクノロジーを利用したインターメディア作品を発表するが、その以前より彼女は絶えずメディア融合的作品を制作し続けている。70年代からは活動が減っていたものの、90年代から新作の発表や再制作を活発に行う。塩見は媒体を結合させるだけではなく、他のものに変換したり、一つのテーマを複数の媒体で表現したりすることに注目してきた。例えば、彼女の作品では風が音になり、音楽がオブジェになり、同じ作品が造形とパフォーマンス、映像の形式でそれぞれ制作される。その理由から、近年彼女は自身の作品を「トランスメディア」と定義づけいている。（K.L.）

ザ・プレイ
《雷》1977—1986年

オノ・ヨーコ
左から《フルックス・フィルム9：まばたき》1966年、《メンド・ピース・フォー・ジョン》1968年、《グレープフルーツ》1964年

津村耕佑
《ファイナル・ホーム》1994年

田中功起（1975—）

2005年、東京芸術大学大学院美術研究科修士課程修了。2008年より4年間ロサンジェルスを拠点に活動。最初期は、路上の物と現代社会における人々の動作との関係性や日用品の動きといった、普段は見過ごされている日常の単純な動作に注目していた。2011年3月11日に発生した地震と津波による東日本大震災を機に、彼の作品は参加型プロジェクトへと移っていった。各プロジェクトのために、田中は、異なった国籍、経験年数や得意なスタイルも違う数人の美容師たちが集まって一度に一人の髪を切る、というように、異なる背景を持った人々を集める。彼の作品は、協働作業によって生まれる作品の様式や美学を探究するだけでなく、「非日常的な状況に置かれた複数の人間が、ある出来事や経験を共有することは可能か」という問いに関わっている。「もし散髪がうまくいかなかったとしても、髪の毛は伸びて、また切ることができる。もしパフォーマンスがうまくいかなくても、またパフォーマンスを行えばいい」というように、既存の社会が有する新自由主義的な構造とは異なったルールを試しているようにも見える。(J.U.)

田中功起
左から《ひとつの陶器を五人の陶芸家が作る（沈黙による試み）》2013年、《五人のピアニストがひとつのピアノを弾く（最初の試み）》2012年、《振る舞いとしてのステートメント（あるいは無意識のプロテスト）》2013年

島袋道浩
《そして、タコに東京観光を贈ることにした》2000年

島袋道浩（1969—）

島袋道浩は、1990年代初頭から世界中を旅しながら、そこに生きる人々の生活文化や新しいコミュニケーションのあり方に関するインスタレーション作品やパフォーマンスを数多く生み出している。既存のアートの枠組みにとらわれない領域横断的な表現を通じて、私たちがどのように生きるべきかを思考する詩的かつユーモア溢れるプロジェクトは、国際的に着目されている。

旅に加え、動物との関わりもまた、島袋の表現では重要な位置を占める。北海道のシマフクロウ、イギリスの人命救助犬、鹿や亀など、多くの動物が作品に登場してきた。とりわけ、明石のタコを新幹線で東京に連れてきて、東京を見せたのちに明石の海に戻す映像作品《そして、タコに東京観光を贈ることにした》（2000）は、旅そのものを主題とした代表的作品であり、明石のタコを日本海に連れて行く《タコ街道プロジェクト》や《自分で作ったタコ壷でタコを捕る》などと並び、ユニークなアイディアで食や環境との関わりを提起している。

《人間性回復のチャンス》は、阪神・淡路大震災直後の非常事態には印象的なほど見られた人々の思いやりが、時間が経つに連れて失われてしまったことを背景に崩壊した友人の家の屋根に看板を掲げた作品である。

島袋は、多様な表現手段や他領域のアーティストとのコラボレーションを通じて芸術領域の境界線を揺るがせ続ける。（M.O.）

SANAA
《金沢21世紀美術館》2004年

「みんなの家」
《みんなの家(宮城・仙台)》2011年

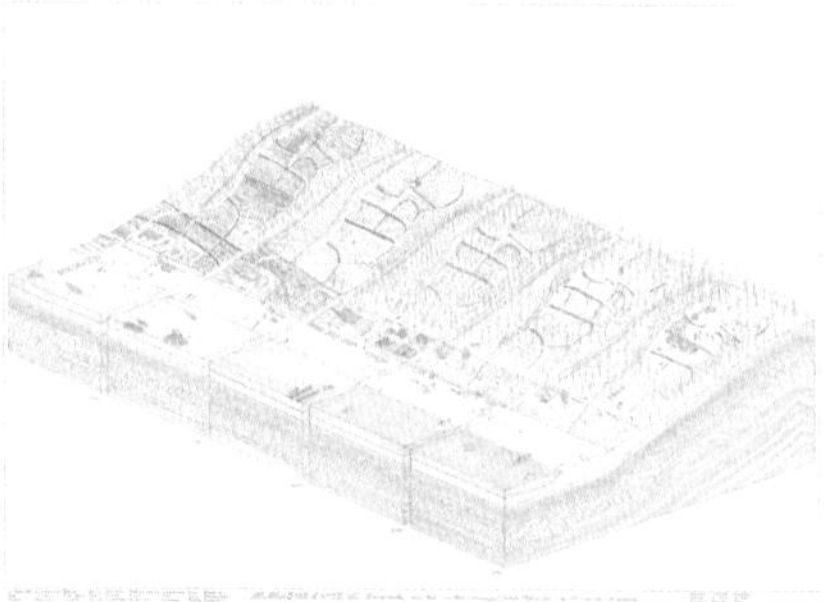

アトリエ・ワン+筑波大学貝島研究室
《もものうらビレッジ　パブリック・ドローイング》2017年

「みんなの家」(2011—)

「みんなの家」は、2011年3月11日に日本を襲った東日本大震災発生の直後に5人の建築家が結成した「帰心の会」を前身として、伊東豊雄、妹島和世、山本理顕らが中心となり、若い世代の建築家とともに立ち上げたプロジェクトである。震災で家を失った被災者の生活が、厳しい状況の中でも可能な限り生き生きしたものとなるよう、東北各地に十六棟が建てられた。これらの「みんなの家」は、仮設住宅団地内や被災した商店街などに建設され、住民の憩いの場を提供したり、子どもたちの遊び場、さらに農業や漁業の再興を目指す人々の拠点になるなど、コミュニティの回復に尽力した。

「みんなの家」第一号である《宮城野区のみんなの家》は熊本県の支援で仙台市内に完成したが、その経験を活かし、2012年7月に発生した熊本広域水害の際に2棟の「みんなの家」が整備された。また、2016年4月に発生した熊本地震に際しては、県知事の主導のもと公共の資金(一部財団や民間の寄金)により、120棟以上の「みんなの家」が木造でつくられた。

被災からの時間の経過とともに仮設住宅の統廃合や地域の防災計画が進み、移転や解体を余儀なくされている「みんなの家」もある。しかし、仮設住宅を出た人々の新しい移転地域の集会所として生まれ変わる「みんなの家」もあり、単に被災地支援という役割を超えて、これからの公共施設、さらにはこれからの社会の在り方に言及しうる可能性を秘めている。(M.O.)

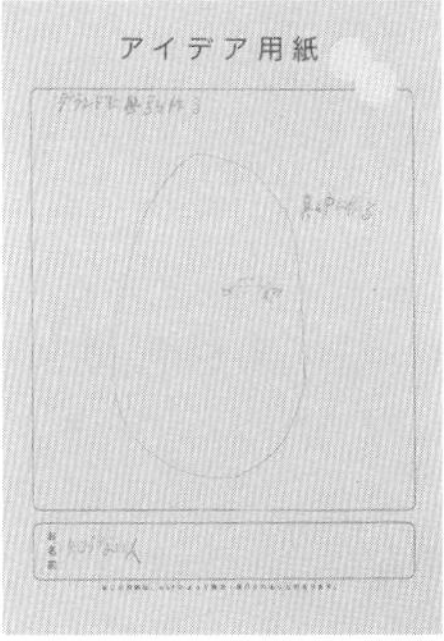

ワウ・ドキュメント
《wah27「グランドにお風呂」》2008年

ワウ・ドキュメント（2006—）

ワウ・ドキュメントは、2006年に南川憲二と増井宏文によって始められた表現活動である。地域住民と共に実現するための様々な参加型プロジェクトや協働型プロジェクトを提案し、コミュニケーションと対話をベースとしたコレクティブアクトを通じて、共に何か言葉にできないような体験を共有することを目指す。自らを「即興的表現集団」と称し、赴いた先でプロジェクトのアイディアを一般募集したり、街でアンケートをした結果をもとに即座にアイディアを具体化する試みを多数実践している。

プロジェクトには、思いついたら即日実践され、その日限りで終了するものが多くある。例えば、人力だけで、賃貸物件である一軒家を担ぎ上げるもの（《家を持ち上げる》、2010）や、東日本大震災後に石巻市で行われたダンボールで子どもたちによって制作された《子ども映画館》（2011）などがある。

出展作品である《グランドにお風呂》（2008）は、北海道音更町の小学生の協力を得て、グランドに穴を掘り、そこにバスタブを設置し、二日間に渡って皆がお風呂を楽しめるようにしたプロジェクトである。（M.O.）

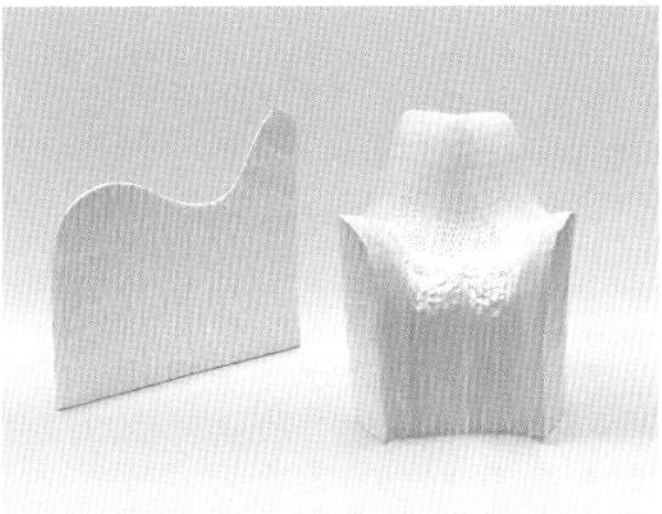

吉岡徳仁
《Honey-pop》2001年

八谷和彦
《M-02J（OpenSkyプロジェクト 風の谷のナウシカ（宮崎駿作）作中の架空の航空機を実機として作るプロジェクト）》2016年

ポリティクスを超えるポエティクス

Poetics of Resistance

奈良美智
《サヨン(莎詠)》2006年

奈良美智(1959—)
画家、彫刻家。無垢な子どもや動物の絵画によって広く知られる。青森県弘前市で育つ。1981年、愛知県立芸術大学入学。1987年に同大学大学院修士課程修了後、1988年からドイツへ留学、2000年帰国。90年代からネオポップのアーティストとして注目され、アート界にとどまらないファン層の支持を受ける。2007年から陶芸の制作も開始。2011年の東日本大震災直後は制作が途絶したが、巨大なブロンズ作品のための塑造制作を機に復帰。インスタレーションや写真も含む幅広い手法で制作を続けている。

十代を過ごした70年代、彼はパンクロックへの深い傾倒を通じ、60年代の学生運動、ヒッピー・ムーヴメント、そしてベトナム戦争の失敗からくる無力感を感受するとともに、反骨的な気質を養っていた。制作中も音楽を掛け、多くの作品タイトルやドローイングに歌詞の断片が散りばめられる。奈良の制作態度と「かわいい」作品は、弱い立場の人々の視点に注目するフェミニズムやポストコロニアリズムが隆盛した90年代を背景として、批評家松井みどりによって抵抗の意味を含む「マイクロポップ」として解釈された。画家として華々しい成功を収めてからも、つねに制度から一定の距離を保ち、制作へ孤独に向き合う姿勢は一貫している。

多岐にわたる活動のうち、即興的な感情が表出するドローイングは、細心の注意を払って仕上げられるペインティングとともに中心的な位置を占める。(Y.S.)

奈良美智
《In the White Room II》1995年

古賀春江
《海》1929年

古賀春江（1895―1933）
画家、詩人。父は住職で、古賀自身も一時僧籍に入った。繊細な気質の彼は若いころから画家になることを熱望し、東京と故郷福岡の往復を繰り返しながら、当時のアーティストたちと同様、西洋の同時代の芸術のスタイルを次々と取り入れた。前衛芸術に傾倒し、1922年に仲間と「アクション」を結成（1924解散）。その後、複製画を通じ、アンドレ・ロートやパウル・クレーの影響を受け、キュビスム的作品や水彩童画にも取り組む。また、イタリアで未来派を学んだ東郷青児や、科学的超現実主義を唱えた詩人竹中久七といった知人たちとの交流から、独自の考えを深めた。芸術至上主義者だったが、1920年代後半にはプロレタリア芸術運動の高まりを受け、自らの理念と社会的現実との矛盾にも思考を巡らせた。

《海》（1929）が描かれたのはこうしたときだった。この作品は日本の超現実主義の起点として知られているが、その意識性と知性主義とにおいて、フランスのシュルレアリスムとは異なる。工場、飛行船、水着の女性といった近代的なモチーフは、当時の科学雑誌やポストカードから意図的に選び出された。このコラージュ的手法は、ナンセンスな事物の並列によって無意識世界を描き出そうとしたものでも、近代の技術と文化を称揚しようとしたものでもない。古賀は戦間期の複雑な現実にどうにか触れるために、あえて離れ離れな同時代の社会的イメージの断片を結びつけたのである。（Y.S.）

中園孔二
《無題》2012年

中園孔二（1989—2015）

主にキャンバスに油彩、木製パネルにクレヨンを使う画家であり、多作なことで知られる。2012年東京芸術大学卒業。輪郭線で描かれるポートレートと背景のモチーフなどの多数のレイヤーが複雑に重ね合わせられ、部分的にユーモラスでありつつ、幽霊のように浮かびあがるプリミティヴな外観をもった絵画空間を生み出す。

中園のスタイルは、絵画手法のオーソドックスな枠組みには縛られない。自分自身の指、ときには肘を使い、具象と抽象のあいだでモチーフをぼかし、モノクロームや色鮮やかなレイヤーを削りとる。しかし、制作過程は非常に即興的でありながら、作品は精緻な絵画技術も示している。自身の「内側」を見たり触れたりすることは不可能であるため、絵画の「内側」になにが描かれるかはそれほど問題ではなく、多数の作品を描くことによって複数の作品から生まれる「外縁」がより重要である、と作家は説明する。この「外縁」という作家独自の芸術概念により、彼の絵画的風景は、複数の作品が集合することで、より豊かなものとなる。

中園は冒険的な性格と習慣を持っており、よく深夜に森や海辺まで1人で出かけることでも知られていた。不運なことに、2015年、台風後の海へと泳ぎに行き、そのまま帰らぬ人となった。

作家としては非常に短いキャリアの中で、中園は大小の幅広い絵画を制作した。作家の才能やビジョンに導かれながら、こうした作品はいまだ多くの解釈を鑑賞者に許している。（S.K.）

樫木知子
《影あそび》2009年

照屋勇賢（1973―）
日常生活で慣れ親しみのある生活用品、道具を頻繁に利用するヴィジュアル・アーティスト。2001年スクール・オブ・ヴィジュアル・アーツ（NY）MFA修了。素材本来の使用法を変換し、現代の社会問題に向けたメッセージを提示する。照屋は沖縄出身であり、作品を通じて沖縄地域における社会、文化、環境の複雑な諸問題にも取り組んでいる。

《結い、You-I》（2002）と題された作品は、沖縄の伝統的な染色技術を用いた紅型の着物である。この作品の模様の中に、鑑賞者は米国のパラシュート兵やジェット戦闘機と、地域の花や蝶との美的調和を見出すことができる。これは、沖縄の伝統的な色彩感覚の美しい言語を通した、アメリカ統治時代から何十年も続く、地元住民と米軍基地の間にある社会的・環境的諸問題についてのミクロ・ポリティカルな言及である。

他の代表的なシリーズである「告知―森」（1999―）は、有名なハイブランドやファーストフード企業の紙袋の片側で木のシルエットを切り抜き、それを内側に折り返している。このシリーズは、紙を物質として本来の状態（木や森）に比喩的かつ視覚的に返すことによって、グローバル資本主義によって加速する消費主義に対する力強い政治的コノテーションを含んでいる。

照屋の作品はグローバル／ローカルの現代的情勢に対し重大な批評性を含んでいる。社会と自然という二分法を横断し、作家のシンプルな方法によって、彼のミクロ・ポリティクスと美学は、作品を通して複雑な形で提示される。（S.K.）

福島秀子
《翅》1950年

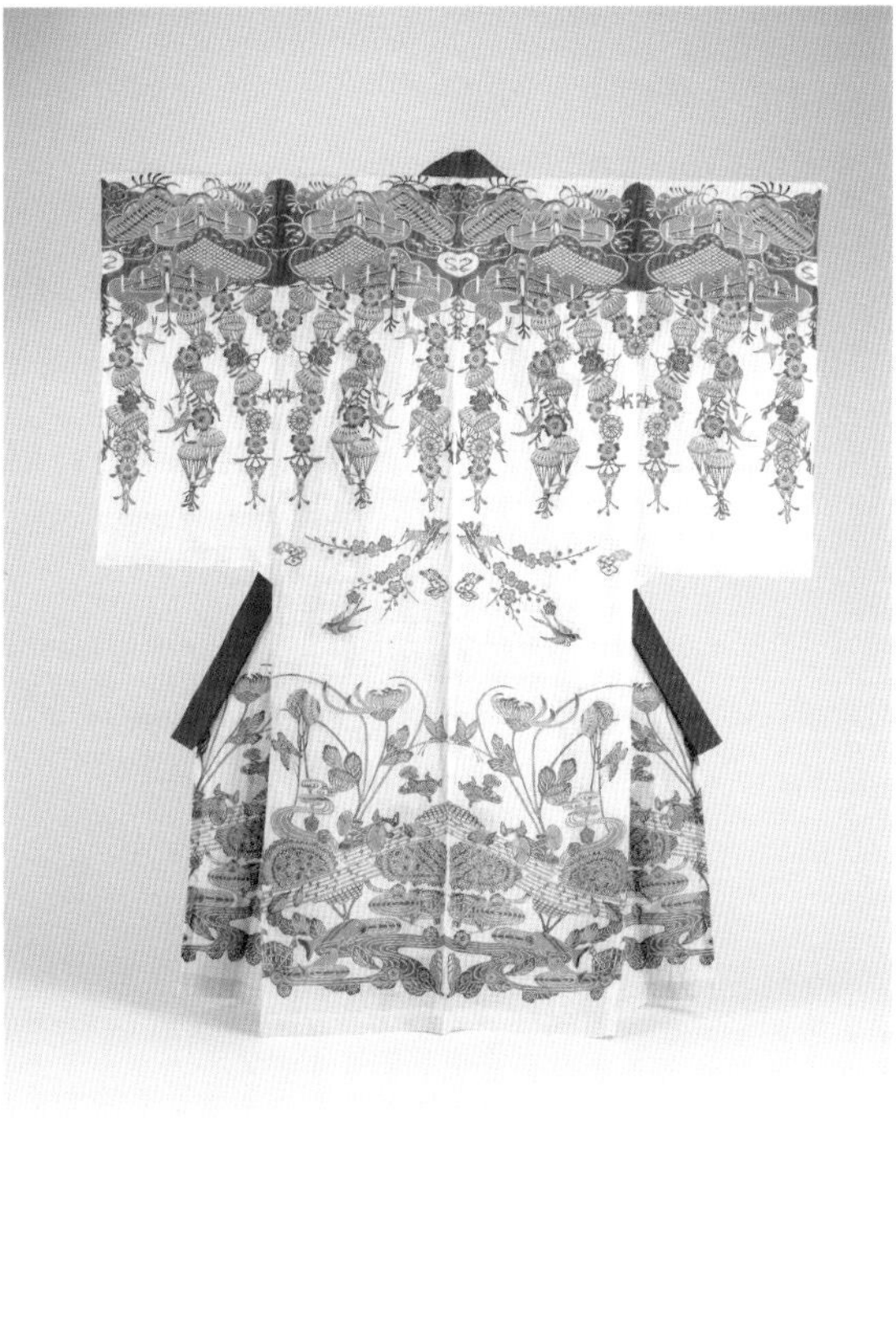

照屋勇賢
《結い、You-I》2002年

石上純也（1974—）

建築家。その革新的な作品は現代美術の分野にも影響を及ぼす。2000年に東京芸術大学大学院を修了、SANAAに4年間勤務した後、2004年に独立。第11回（2008）・第12回（2010）のヴェネチア・ビエンナーレ国際建築展に出展し、後者で金獅子賞受賞。2009年、神奈川工科大学KAIT工房により、日本建築学会賞を史上最年少で受賞。2019年にはサーペンタイン・パビリオン設計者に選出され、61トンものスレート屋根を106本の極細の柱で浮かんでいるかのように支える作品を発表。

石上は無機的な素材を使いながら、一見あり得ないものを、物理的・環境的条件に即した設計によって軽やかで有機的な構造として成り立たせる。東京都現代美術館で発表された《四角いふうせん》（2007）は、彫刻、風船、建築の中間にあるような不思議な構造体である。0.2ミリのアルミ箔でできた、重さ1トン、大きさ13×6×13メートルの巨大な立方体は、広いアトリウムに何の支えもなく浮かび、まるで呼吸する生物のように、かすかに波打ち、ゆっくりと浮き沈みする。この驚異的な現象は、ネジ1本まで計算された構造とヘリウムガスの繊細なバランスで実現した。

石上のプロジェクトの多くに共通するのは、誰も見たことがない空間のヴィジョンを実現する詩的な想像力と細密な設計の共存である。物理的条件の限界を押し上げる設計手法からは、自然と調和する建築というより、自然としての建築を過激に目指す意志が垣間見える。（Y.S.）

石上純也
《四角いふうせん》2007年

小沢剛
《地蔵建立——板門店（北朝鮮）》1992年

伊藤存（1971—）

主に刺繍したキャンヴァスの作品によって知られる。1996年、京都市立芸術大学卒業。2000年、個展「山並ハイウェー」で刺繍の作品を発表しデビュー。翌年の横浜トリエンナーレ2001で注目を集め、その後国内外で数多くの展覧会に参加。アニメーション、インスタレーション、ドローイング、切り絵、粘土など多様な手法を用い、青木陵子との共作、ワークショップにも長く取り組んでいる。

いずれのメディウムを用いる場合でも、繊細な方法論によって、制度を解除し、遊び心ある領域を作り出している。彼が刺繍という手法に行きついたのは、ニュアンスに溺れてしまいがちなドローイングと違い、小さな決断を少しずつ重ねていく刺繍なら、表現や内容の強さに序列のないフラットなものが作れるという発想からだった。初めのうちは、昆虫や空き地、近所の川にいる生きものなど身近なものをモチーフとし、ヒエラルキーをかき消すようにそれらを重ね合わせたが、次第に、刺繍の裏面にできる糸のパターンに触発され、より抽象的で構造的なイメージへと作品を変化させていった。《浅瀬の旅行》(2000)や《よだれのきらめき》(2001)は伊藤が注目を集めるきっかけとなった作品で、その初期の形態を見ることができる。刺繍の作品は、もともと展示場所に応じてこだわりなく様々なサイズで制作されていたが、次第に不定形のキャンヴァスや、床に自立する形態へも展開した。(Y.S.)

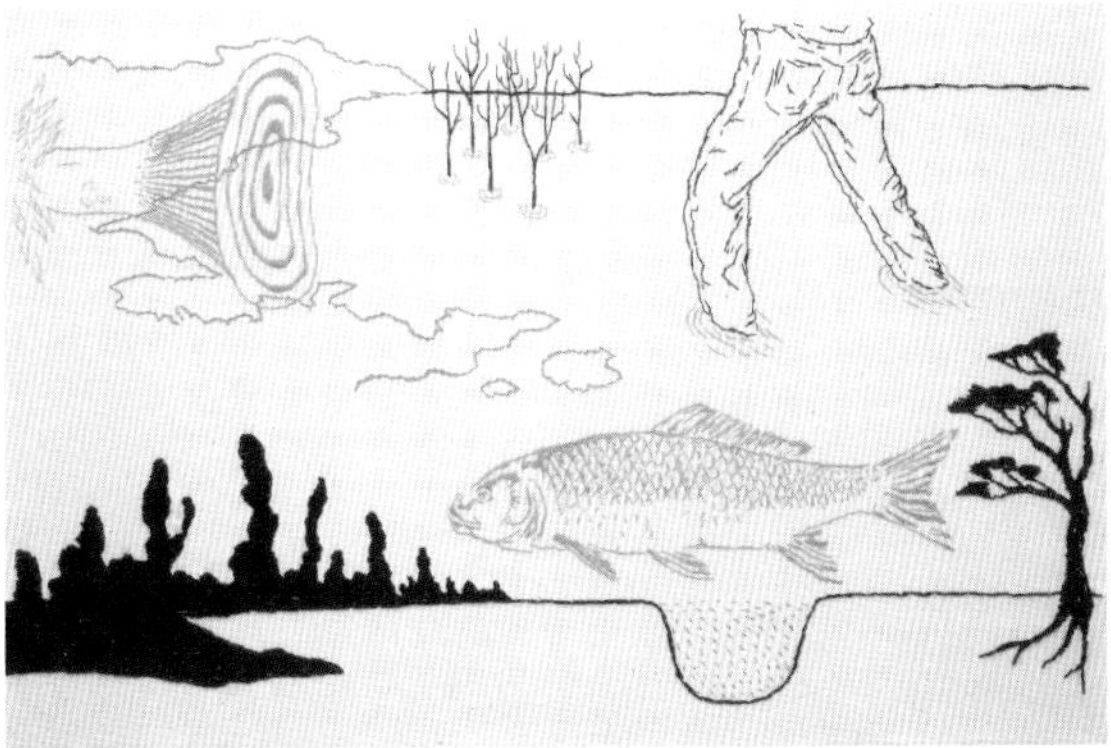

伊藤存
《浅瀬の旅行》2000年

藤本壮介
《児童心理治療施設》2004—2006年

マメ・クロゴウチ
《Personal Memory》2014年

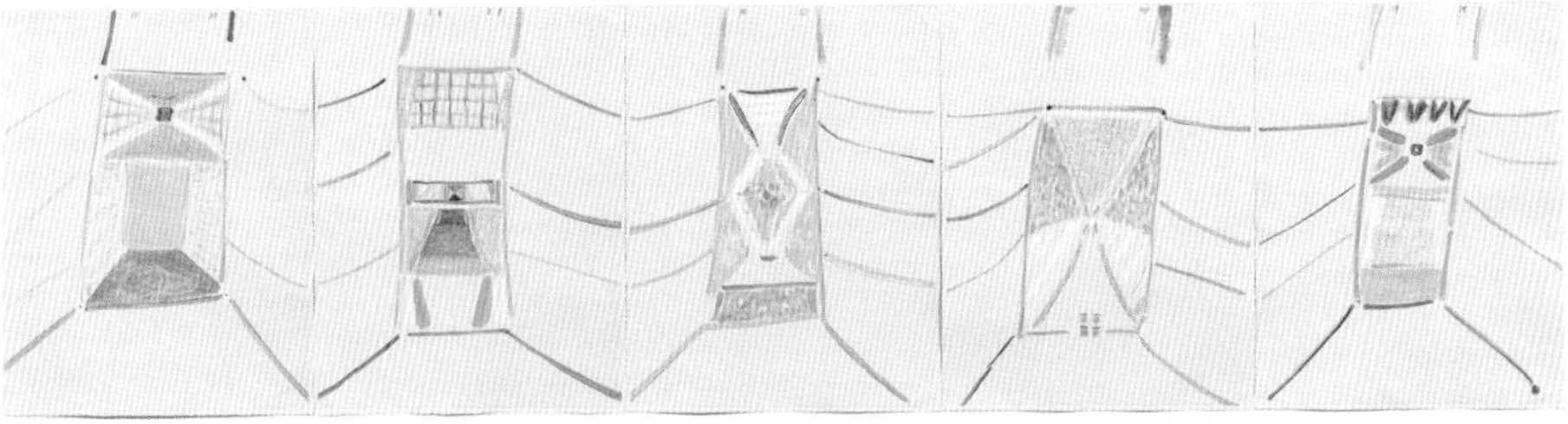

杉戸洋
《Connecting Man n° 2》2006年

Chim↑Pom
《SUPER RAT (diorama)》2008年

Chim↑Pom（2005—）
エリイ、卯城竜太、林靖高、水野俊紀、岡田将孝、稲岡求によるアートコレクティブ。現代美術家、会田誠の周辺に集まっていたメンバーで2005年結成された。

Chim↑Pomの初期作は、東京のストリートカルチャーからインスピレーションを得たものが中心となり、映像、インスタレーション、パフォーマンスなど幅広いメディアを用いて作品が発表された。そのほとんどにはブラックユーモアと社会への批判が込められている。代表作の《SUPER RAT》(2006)は、文字通り「スーパーラット」、——すなわち殺鼠剤などの毒餌に耐性をもち、爆発的に繁殖したネズミを指す——を渋谷にて捕獲し剥製とし、世界的にヒットしたアニメ「ポケモン」シリーズのメインキャラクター、ピカチュウに似せ黄色に着色したものである。

東日本大震災後、彼らは渋谷の街を離れ、日本社会の「歪み」の象徴である原発に目を向ける。2016年にはキュレーターの窪田研二、ジェイソン・ホワイトらとともに「Don't Follow the Wind」展を開催。これは国内外から参加した12組の作家の作品を帰宅困難区域にゲリラ的に設置し、閉ざされた空間自体を展覧会とする試みである。鑑賞者は放射能レベルが低下するまで、展覧会の場に足を踏み入れることはできない。

2011年及び2014年にニューヨークのMoMA PS1、2016年には第20回シドニー・ビエンナーレに参加するなど、世界各地でプロジェクトを発表、2021年には森美術館にて日本初の回顧展が予定されている。(A.K.)

山川冬樹（1973—）
美術家、ホーメイ歌手。即興的な音楽パフォーマンスやインスタレーション作品によって知られる。ロンドンで生まれ、アメリカと日本で育つ。1999年、多摩美術大学大学院修了後、自らの身体を媒体とする実験的なパフォーマンスに取り組む。社会問題への関心も深く、2016年からは大島での綿密な取材を繰り返し、ハンセン病をめぐって生命の尊厳に取り組む作品も制作している。

ステージでは電子機器と自身の肉体をひとつの音響システムにまとめることで、身体を楽器として拡張、酷使する試みを続けてきた。その手法には例えば、自在に操作できる自らの心音をベースアンプで増幅し、その音の強弱とテンポに電球の光を同期させる、骨伝導マイクを装着した頭蓋骨を叩く、ホーメイ（二重倍音を発する喉歌）などがある。

インスタレーション作品《The Voice-Over》（1997-2008）は、5台のブラウン管テレビとカセットテープで構成される。テープには、山川が中学生だった1988年に咽頭がんのため亡くなった父親の声が録音されている。有名なアナウンサーであった父の膨大な映像と肉声記録は、ニュース放送や家族の会話、発音の教育などの場面を含み、山川の個人史に根ざしているとともに、マスメディアによって形成された公衆の記憶にも触れる。それらを組み合わせて作られた暗室のインスタレーションには、父から受け継いだ自らの生命の身体性と公共性への認識が込められている。（Y.S.）

山川冬樹
《The Voice-Over》 1997—2008年

E

やわらかで浮遊する主体性・極私的ドキュメンタリー

Floating Subjectivity / Private Documentary

河原温
左から《Nov. 5, 1988》1988年、《DEC 18, 1992 “TODAY” series No. 46》1992年

河原温(1932—2014)

河原温は、作者の主観的感情を抑制した記号表現により、他の概念芸術家に大きな影響を与えた、国際的に高い評価を受けた作家である。1951年に東京で作家活動を開始、1965年からはニューヨークに拠点を移した。

河原は「時間」を記号化する。「日付絵画」によって時間の「共時性」を表し、個人の時間のスケールをこえた時間——「通時性」については「100万年の本」で表した。これは紀元前998,031年から1969年までの100万年分の年号を1ページに500年ずつタイプライターで記し、本にしたものである。アメリカを起点として中南米、ヨーロッパなどを遍歴した時期、メイルアートとして葉書や電報などを知人に送った。電報のメッセージ『I am still alive』では、私は「まだ生きている」という、死を常態、自明とした仏教的態度がその背景に見られる。

出品作は「日付絵画」(Date Paintings, 1966-2013)と題されたシリーズで、アクリル絵具で単色に塗られたキャンバスの中央に制作日の日付を白文字のタイポグラフィで描いている。河原は一作品の完成を当日中とし、それが達成できなかった場合は破棄するというルールを自らに課した。このシリーズは作家が海外に渡航した際、現地語で日付をメモした習慣から着想を得ている。また河原は日付絵画完成後、制作当日の新聞を作品と同梱し保管を行い、その日の時間と出来事を自作の箱に収めた。日付、自分をとりまく客観的状況の変化を、還元された要素の差異と反復の形式の中にまとめたこのシリーズは、個の実存(部分)と世界(全体)との関係を普遍的に表現している。

生涯オープニングなどには姿を現さず、作者性を匿名化するという態度を貫いた。

2015年に開催されたニューヨークのグッゲンハイム美術館で初の回顧展「Silcence」準備中に没し、展覧会は河原の死後開催された。(Y.H.)

ホンマタカシ（1962―）
ニュータウンを中心とした東京郊外の風景写真で知られるホンマタカシは、日本大学芸術学部在学中にロンドンで広告会社に入社した1990年代より、ファッション・カルチャー雑誌『iD』で作品を発表し始めた。1999年には、『東京郊外　TOKYO SUBURBIA』（1998）で木村伊兵衛写真賞を受賞した。

ホンマは自身の撮影した東京郊外のイメージを語るのに、内的イメージであり原初体験に基づく風景を意味する「原風景」という言葉を用いる。団地育ちのホンマを惹きつけたのは、ニュータウンと呼ばれるマンションや住宅の集まりが大型のショッピングセンターに囲まれる当時の新しい住宅地と、古くからある廃れた商店街が共存する風景がなすコントラストと、絶えず変化する都市のイメージであった。東京郊外の大変貌を写真イメージとして記憶した『東京郊外　TOKYO SUBURBIA』には、多くの人々が共有するある種の「原風景」としての東京が見いだせる。また、湘南国際村センターを撮影した《湘南国際村》のシリーズなど、異なる東京の記憶を保存し、その記憶を共有する世代や土地の人々のノスタルジーを呼び起こす。

ホンマタカシは、ポートレート、風景、自然を写真イメージとして切り取る行為を通じて、リアリティと我々が見ているものの間のギャップやそこにあるべき真実に疑問を投げかける。（M.O.）

ホンマタカシ
展示風景

ホンマタカシ
《少年1、京王多摩センター、東京都多摩市》1998年

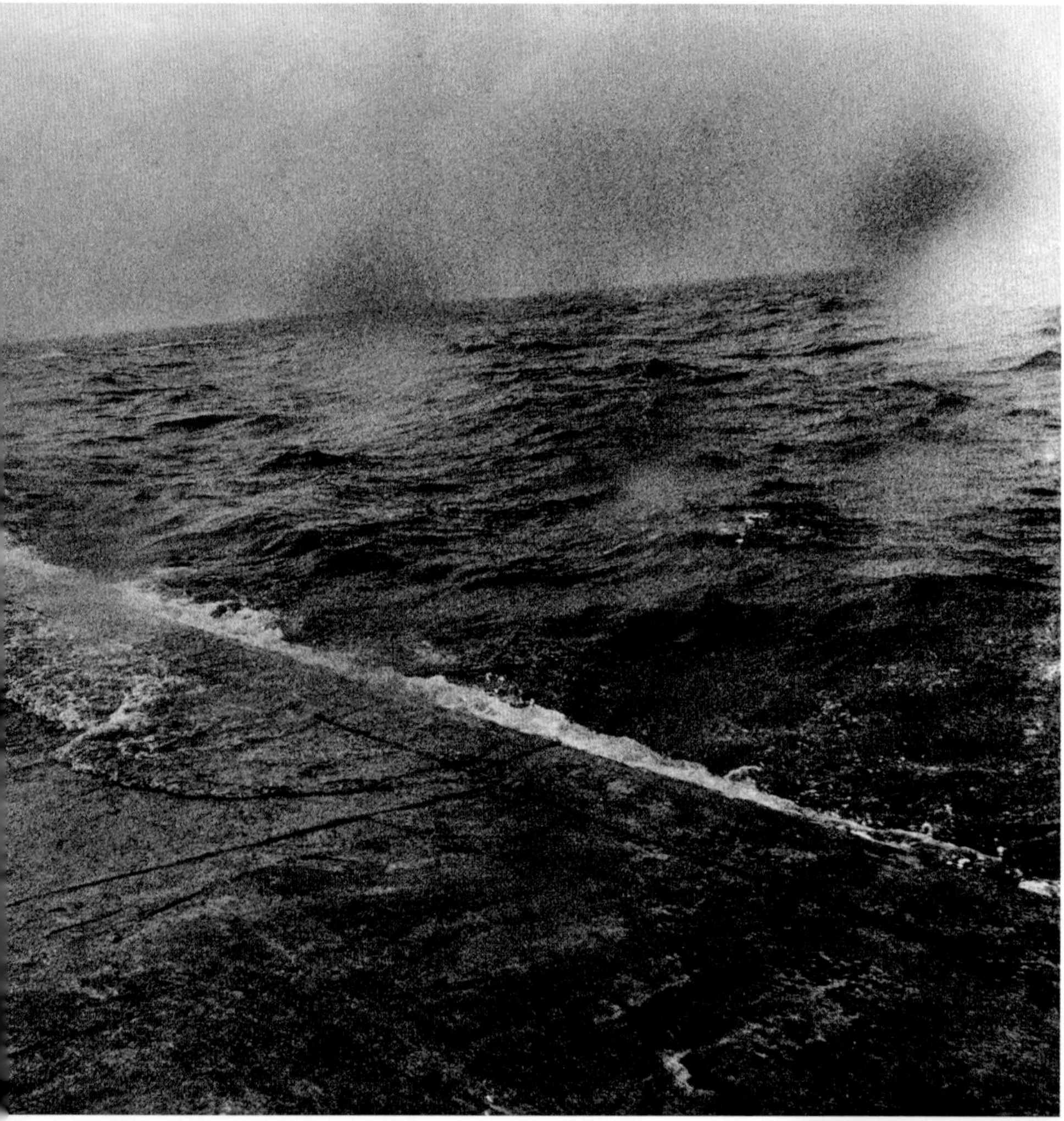

中平卓馬
《来たるべき言葉のために》よりスライドショー 1970年

中平卓馬
《Untitled》2005年

読　者　カ　ー　ド

お求めの本のタイトル

お求めの動機

1. 新聞・雑誌等の広告をみて（掲載紙誌名　　　　　　　　　　　　　　　　　　　）
2. 書評を読んで（掲載紙誌名　　　　　　　　　　　　　　　　　　　　　　　　　）
3. 書店で実物をみて　　　　　　　4. 人にすすめられて
5. ダイレクトメールを読んで　　　6. その他（　　　　　　　　　　　　　　　　）

本書についてのご感想（内容、造本等）、編集部へのご意見、ご希望等

注文書（ご注文いただく場合のみ、書名と冊数をご記入下さい）

［書名］	［冊数］
	冊
	冊
	冊
	冊

e-mailで直接ご注文いただく場合は《eigyo-bu@suiseisha.net》へ、
ブッククラブについてのお問い合わせは《comet-bc@suiseisha.net》へ
ご連絡下さい。

料金受取人払郵便

綱島郵便局
承　　認
2035

差出有効期間
2022年12月
31日まで
(切手不要)

郵便はがき

223-8790

神奈川県横浜市港北区新吉田東
1-77-17

水声社　行

御氏名(ふりがな)	性別 男・女	年齢 才
御住所(郵便番号)		
御職業	御専攻	
御購読の新聞・雑誌等		
御買上書店名	書店	県 市 区　町

中平卓馬（1938—2015）
写真家、写真批評家。東京外国語大学（スペイン語専攻）卒業後、月間総合誌『現代の眼』の編集者となる。1968年、数名の同人とともに『Provoke』を創刊。副題を「思想のための挑発的資料」とし、第3号まで刊行した。1977年に記憶喪失と部分的な失語症に見舞われたが、翌年から活動を再開。亡くなるまで制作と発表を続けた。

記憶を失う以前の中平はカミソリとも評される論客で、自らの制作態度を視覚の客観的方法として厳しく規定した。写真の本質は記録であると考え、自己表現としての芸術写真には批判的な態度を取り続けた。この明晰さが彼の作品と経歴を特別なものとしている。

初の写真集『来たるべき言葉のために』（1970）で抒情性を排した「アレ・ブレ・ボケ」のモノクロ作品群を発表。それは同年の大阪万博に向かう社会のなかで、意味と制度に抗する「肉声」の具現化として採られた手法だった。だが直後から、『なぜ、植物図鑑か』（1973）に代表される自己批判的な論考で、それすらも自己の幻影に過ぎなかったとして、「世界そのもの」をより徹底的に追求。その苛烈さから、写真家としての活動は一時停滞した。記憶喪失後はかつての鋭い舌鋒は影を潜めたが、朴訥な言葉遣いで即物的な日記を付けながら撮影を継続。『Documentary』（2011）におけるピントの合った縦位置のカラー写真群の明澄さは、表面的には以前と対照的だが、むしろ「世界そのもの」への果てなき意志の錬磨をしのばせる。（Y.S.）

奈良原一高
《王国》〈沈黙の園〉 1958/1977年

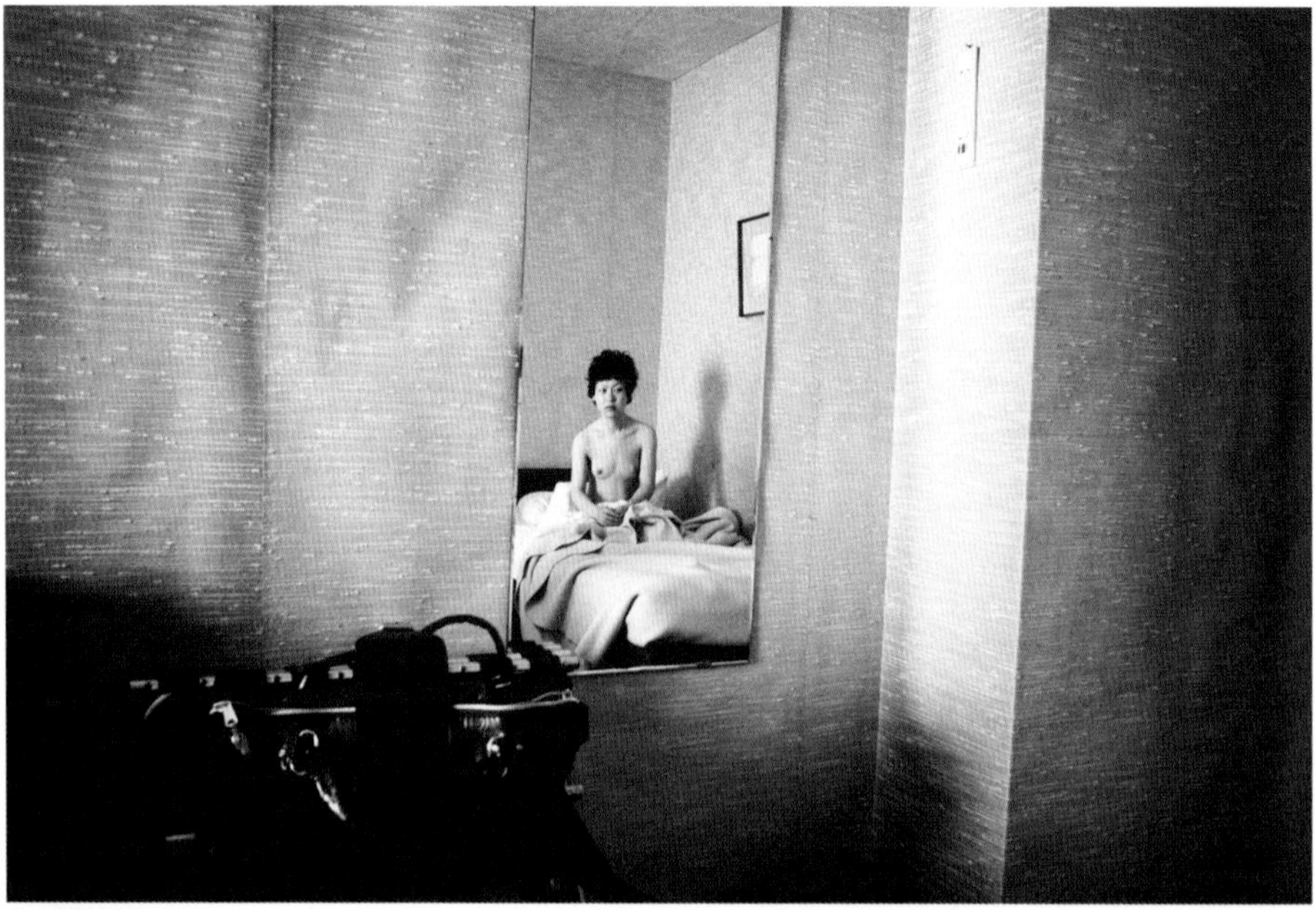

荒木経惟
《センチメンタルな旅》1971/2012年

荒木経惟（1940—）
千葉大学工学部写真印刷工学科卒業。在学中から多くの写真雑誌の賞を取り、1964年には写真集『さっちん』で第1回太陽賞を受賞。卒業後、1963年に大手広告代理店電通に入社し1972年まで所属、妻陽子とは電通勤務時に出会った。彼女は1990年に亡くなった後も荒木の最も重要なテーマであり、代表作『センチメンタルな旅』（1971）は彼らの新婚旅行を写し出している。陽子の死後1年経ってから出版された『冬の旅』（1991）は、二人の家での生活や社交場での集い、そして亡くなるその日の写真で構成されている。これら二つの写真集によって「私写真」というジャンルを確立した。彼は、ものと人間の両者に親密で私的な視線を投げかけた。この結果は、主体と客体という二項対立的な関係性を越えており、写真家はもはや客観的な風景の切り取り手としては居座ることができず、制作の最中に変容していくことを強いられる。彼自身はこの変化／制作の過程を「sex」と呼んでいる。静物、ヌード、ポートレートとジャンルに関わらず数多の写真集を世に送り出しているが、「エロスとタナトス」という一貫したテーマは、彼が写し出す、女性の局部や緊縛された女性の体、拡大された花や食品、そして東京のストリートにさえ現れている。（J.U.）

森山大道
《プロヴォーク第2号》1969/2017年

森山大道（1938―）
プロ写真家として活動する以前にグラフィックデザインを学んでいた森山。都市のイメージをコラージュしていく彼の感性はこの時期に培われたのではないだろうか。大阪で岩宮武二、東京で細江英公に師事したのちに1964年から独立し、1968年に初の写真集『にっぽん劇場写真帖』を発表。1968年から69年にかけて前衛運動Provokeに参加した。ウィリアム・クラインのニューヨークの写真に影響を受けたストリートスナップが彼の持ち味ではあるが、『プロヴォーク第2号』では、恋人たちが室内で漂わせる親密な空気やエロティシズムを切り取り、路上で撮影された写真にも同様に官能的な雰囲気を封じ込める。ファインダーを覗かずに素早く撮影するスナップ写真の手法とそこから生まれる「アレ、ブレ、ボケ」の表現は、日本に限らず西洋の写真・美術史に森山の名前を刻み込んだ。このスタイルは、焦点が合っておらず被写体が認識できない、通常であれば破棄されるような写真で構成された『写真よさようなら』（1972）で頂点を迎える。スナップショットによって、初期から強く惹かれていた新宿という町の写真を幾千枚と撮影し、奇妙な――しかし力強い――形で一瞬のうちに現れる新宿の影を捉えた。（J.U.）

志賀理江子
《螺旋海岸》2008年

志賀理江子（1980—）
ロンドン芸術大学チェルシー・カレッジ・オブ・アート・アンド・デザインでニューメディアを専攻。中流階級で育った彼女は、難なく過ぎ去っていく「便利な生活」のため、人生をリアリティのない張りぼてのようなものだと感じていた。そんな現実からの遊離を感じている中でカメラと出会い、「これさえ使えば目の前の現実がその瞬間は思い通りになる。〔……〕自分が思い描くイメージの世界へ飛んでいける」という感覚を得た。思い描いた世界を写真によって構成するという欲望に従い、強烈な感情を呼び起こす不可思議な人と物との配置、ミステリアスな光や原始的な力強さによって幻想のような光景を作り出してきた。2006年、展覧会のために宮城県を訪れ北釜地区という小さな集落と出会った。2008年冬に移り住み、作品制作をしながら、お祭りやイベント、オーラルヒストリーを残す村の記録写真係として働き始めた。この移住は制作にも多大な影響を与え、北釜の村人との協働によって「螺旋海岸」シリーズ（2012）が生まれた。北釜地区は2011年3月11日に発生した津波によって甚大な被害を被り、志賀も被災者となった。この作品は震災の前後を通して制作されたが、単なる地域の記録ではなく、「螺旋海岸」はそれ以上のなにかを写し出している。それは、「写真は可視領域の外にあるイメージをどのように写せるのか？」といった問いを反芻しながら制作してきた結果なのかもしれない。（J.U.）

畠山直哉
《陸前高田/2011年5月1日 米崎町堂の前》2011/2015年

藤井光
《プロジェクトFUKUSHIMA!》2011年

指差し作業員
《ふくいちライブカメラを指差す》2011年

川内倫子(1972—)
写真家。1993年に成安造形大学(旧・成安女子短期大学)を卒業し、2001年に『うたたね』、『花火』、『花子』の3つの写真集シリーズを同時リリースし、国内外の写真シーンにおいて印象的なデビューを果たす。2002年、『うたたね』及び『花火』で第27回木村伊兵衛賞を受賞した。

川内倫子
「Illuminance」より《無題》2007年

作品は、私たちの日常生活の中に漂う「死」の香りを示すことで、逆説的に「死」から瞬間的に覗かれる「生命」の感覚を閃光のように提示する。その主題は、小さな花や巨大な樹木、昆虫、広大な自然、ミクロ的な都市風景、女の子、死んだ鳥など、実際の日常生活のどこかで垣間見る多様な風景から選択されている。また、シリーズごとの写真集や展覧会を極めて繊細な方法で構成することで、彼女の感性的な写真世界は美的、詩的かつ感情的でありながら、先行き不透明な雰囲気をはらんでいる。

『Illuminance』(2011)は、日本国外で出版された最初の写真集であり、彼女の15年に及ぶ私生活でとらえられたイメージで構成されている。このシリーズは、非常に親密で、ほとんど自伝的でさえあるが、どこか匿名的な雰囲気も兼ね備えている。この独特のあいまいさにより、ミクロコスモスからマクロコスモスに至る鋭敏な潜在的感覚をとらえることの困難さに鑑賞者は直面する。このシリーズは、意識と無意識の連続的な流れを断片化する光のグラデーションを示し、鑑賞者を日常の現実にある不確実性の中に留めさせる。(S.K.)

さわひらき
《Spotter》2003年

HATRA
2011秋冬コレクションより《ASYMMETRY HOODIE》2011年

HATRA
2012秋冬コレクションより《VT-MYNA》2012年
2011秋冬コレクションより《WAVE PANTS》2011年

松江哲明
『トーキョードリフター』2011年

F

物質の関係性・還元主義

Materiality and Minimalism

李禹煥
《関係項（原題：現象と知覚B）》 1968/2017年

小清水漸
《Relief '80-8》 1980年

似を指摘されているが、実際には、近代の西洋美術の方法論を批判し、西洋近代の形而上学とアジアの伝統的な哲学、とりわけ道教を融合させている。1960年代からの絵画シリーズである「線より」、「点より」は、キャンバス上に岩絵具と膠で描かれている。彼の絵画に描かれた形態は、ミニマルで、抽象的であり、立体作品と同様、東アジアの美学への関心を示している。

李の作品と思想は日本で注目を集めると同時に、韓国やヨーロッパ、アメリカを含めて、国際的に知られるようになった。2010年には安藤忠雄設計による李禹煥美術館が直島に、2015年には釜山市立美術館内の別館として李禹煥空間がオープンしている。（R.K.）

《コメット・ブッククラブ》発足!

小社のブッククラブ《コメット・ブッククラブ》がはじまりました。毎月末には，小社関係の著者・訳者の方々および小社スタッフによる小論，エセイを満載した（？）機関誌《コメット通信》を配信しています。それ以外にも，さまざまな特典が用意されています。小社ブログ（http://www.suiseisha.net/blog/）をご覧いただいた上で，e-mail で comet-bc@suiseisha.net へご連絡下さい。どなたでも入会できます。

水声社

Yuko Hasegawa (ed.)

JAPANORAMA: NEW VISION ON ART SINCE **1970**

‘Strange object, Post-human Body’ や ‘Poetics of Resistance’ など，6つのテーマからなる〈群島《アーキペラゴ》〉としての日本の現代アートを，〈展望《パノラマ》〉として描き出す。現代日本の視覚文化を知るための必読書，『ジャパノラマ』の待望の英語版。定価 3000 円＋税

2021 年 6 月発売

池田亮司
《the transcendental(π)［n°1-2d］》2017年

高山登
《地下動物園》（部分）1969/2003年

李禹煥（1936—）
植民地期朝鮮で生まれ、ソウル大学校で絵画教育を受けた李は、日本に渡ったのち、日本大学で哲学を学んだ。その後、1960年代末には、彼は近現代美術についての理論家であると同時に、「もの派」の運動の中心的作家として認識された。

石や鉄板、ガラス板などを用いた李の立体作品は、「関係項（Relatum）」と名付けられているが、それは何らかの関係を持つ事物や出来事を指し示す哲学的用語である。事物と事物、あるいは人間と事物の間の関係は、李の芸術哲学の中心的概念であり、それを彼は「出会い」と呼んでいる。なまの存在のなかに見出されるものに焦点を定め、観者が「あるがまま」に事物と出会うような、ある種の生きた経験を目指している。彼の作品はミニマリズムとの類

ヨウジヤマモト
1990/91年秋冬コレクション《ジャケット（ウィメンズ）》 1990年

村上友晴
《無題》 1981年

杉本博司「Ten Seascapes」より《Mediterranean Sea, La Galère》1989年、《Mirtoan Sea, Sounion》1990年、《North Sea, Berriedale》1990年、《Sea of Okhotsk, Hokkaido》1989年

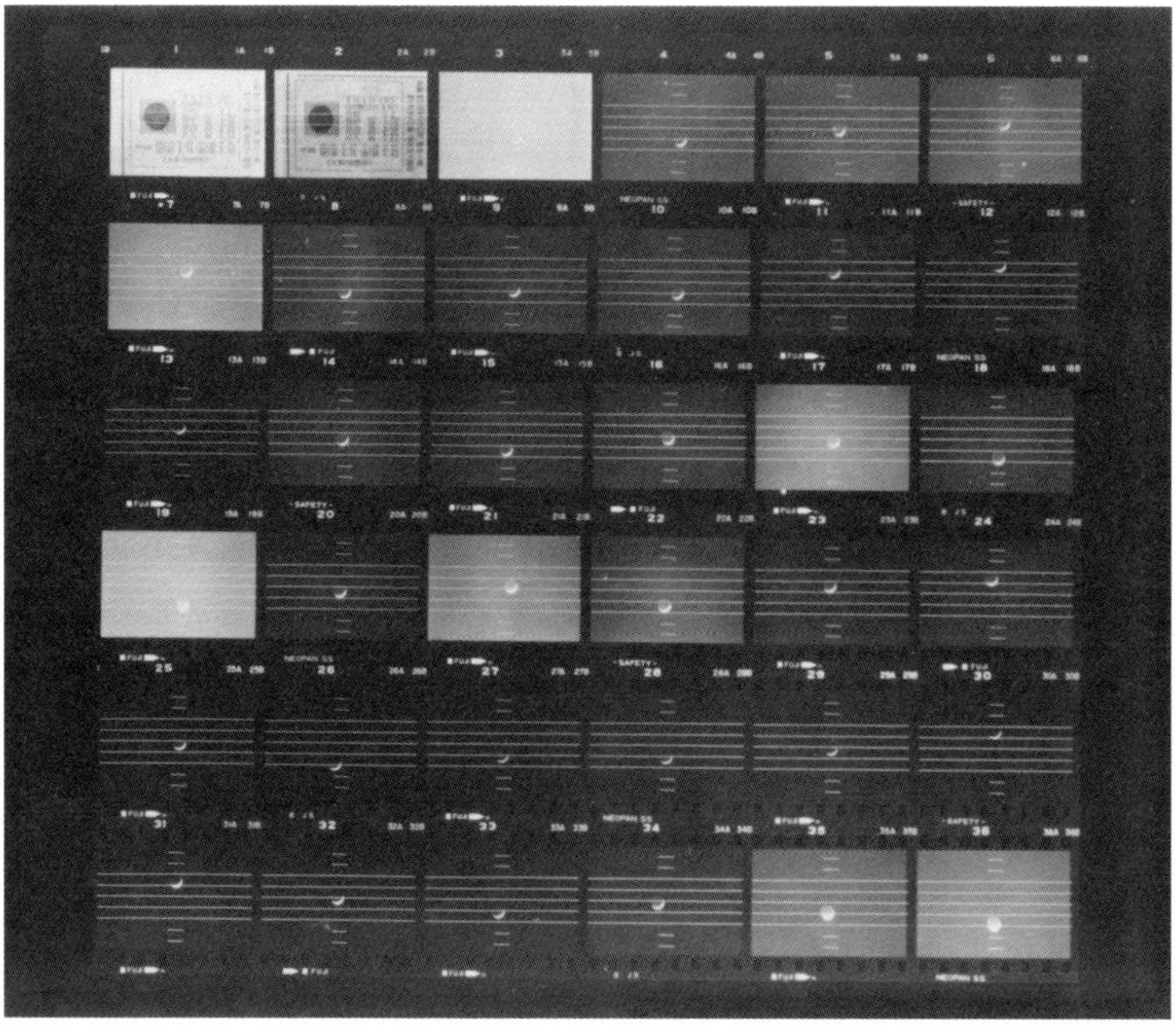

野村仁
《'moon' score 1979.1.1》1981年

榎倉康二（1942—1995）

油の染みを用いる作品群によって、しばしば「もの派」の一員として紹介される。1962年に東京芸術大学入学後、初めはシュルレアリスム的な絵画を制作したが、68年に大学院を修了する前後から、素材自体と行為への関心を強め、実験的な作品に取り組む。批評家中原佑介がコミッショナーを務めた第10回日本国際美術展「人間と物質」（1970）で、油を染み込ませた藁半紙を床に敷き詰めた作品《場》を発表。以来、油、獣脂、紙、土、モルタル、皮革などの素材を用いた制作を続けた他、自宅での展示など美術制度外での実験的なプロジェクトも展開。81年から没年まで東京芸術大学で教鞭をとり、川俣正、宮島達男らを指導した。

情報化の時代にあって、もの同士が干渉しあう閾に関心を持ち続け、とりわけ、彼自身の行為と環境との接触に強い関心を払った。《一つのしみ No.1》（1975）は、絵具を使って対象を捉えようとする画家の情動を、油を布に染み込ませるシンプルな行為に置き換えることで、自身とものとの関係性を再定義した作品である。《無題》（1980）では二枚の布を組みあわせて壁に張り、床まで垂らすことで、建築空間との相互作用をも追求した。同じシリーズの作品二点が同年の第39回ヴェネチア・ビエンナーレに展示された。

70年代から触覚にフォーカスした写真も手掛け、後に、過去の作品と新作を一枚ずつ組み合わせることで、詩的な隠喩に富んだ新たな写真のシリーズ《STORY & MEMORY》（1993）を制作した。（Y.S.）

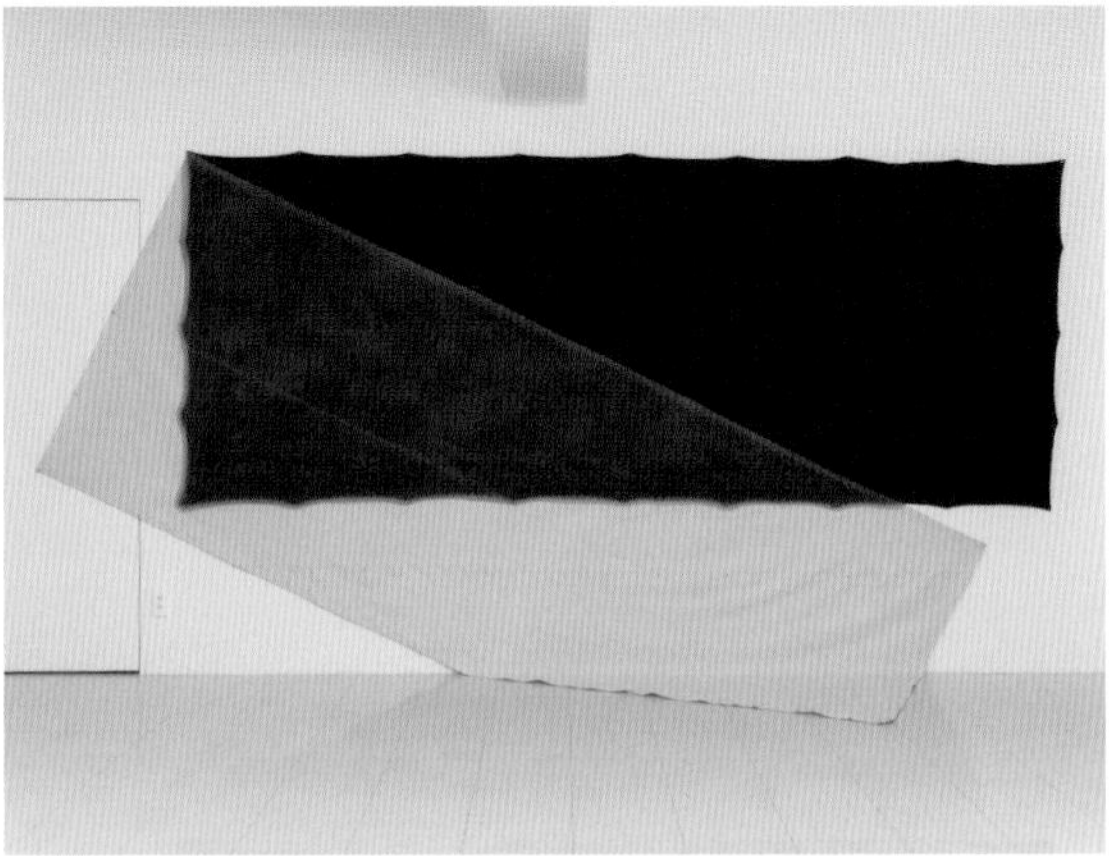

榎倉康二
《無題》1980年

川俣正
《ツリー・ハット・イン・ヴァンドーム広場》2013年

宮島達男
《Moon in the ground no.2》2015年

池田亮司（1966—）

人間の知覚のために極限まで縮小された単位の組み合わせとして、コンピューターベースのサウンドと光のミニマルな要素を実験する電子音楽作曲家・ビジュアルアーティスト。非常に精巧な数学的・物理的概念を通じて、音と光を統合するライブパフォーマンスやインスタレーションを生み出す。

音楽プロデューサーとして活躍中、マルチメディア・パフォーマンスグループ「ダムタイプ」に出会い、領域横断的な芸術表現に強く影響を受ける。2000年頃、特に「matrix」シリーズを通じて池田は一貫してテクノミニマルな音楽やサウンドユニットを生み出しつつ、主にプロジェクト《spectra》（2001—）に代表されるインスタレーションで光の実験も始める。 音の不可欠な構成要素を、最小の科学的信号と物理的インパルスに還元すると、音と光の境界が不明確になる。この認識を通じて、彼は《formula》（2000—）などの音と光の総合的なコンサートを開始し、後に最小限の情報単位を「データ」として想定した《datamatics》（2006—）プロジェクトへと至る。

《datamatics》の一端である《data.scan》（2009）は、メタ科学的な人体と天文学的宇宙のデータ・セットの関係性を、水平のモニターにて表示されるイメージを通して提示する、オーディオ・ビジュアル・インスタレーションである。本作は、私たちの身体と宇宙の両方のマッピングを「データ」として、スケール化できないランダムな単位へと還元している。（S.K.）

池田亮司
《data.tron》2007年

名和晃平（1975—）

2003年、京都市立芸術大学大学院美術研究科博士課程彫刻専攻修了。2000年に「セル（CELL）」という制作概念を打ち立て、視触覚を様々に刺激する表皮へと物体を変換させる作品を発表してきた。例えば、デジタル画像の解像度を示す「Pixel」と生物の最小単位である細胞を意味する「Cell」を組み合わせた「PixCell（ピクセル）」シリーズは、仮想的なイメージに対して現実よりリアリティを感じる現代の感性を物質として示している。《PRISM》（2002—）では、インターネットを通じて集められたモチーフが、見るものの視点によって対象が現れたり消失したりプリズムシートで覆われることで、箱の中にとどまる物体はリアリティを失い、仮想イメージとしてたゆたいはじめる。鑑賞者と作品を繋ぐであろう物体や象徴との出会いは拒絶され、触れることはできないが接触を可能にする「表皮」を通して、現代の物質性やリアリティが代わりに顔を出してくる。他方、《Force》（2015—）は、黒いシリコンオイルの特異な物質性を用いて、重力を知覚する情報を増幅する。この奇妙な粘度の高い液体は、シミのように広がる天井の各点から重力に沿って流れ落ち続け、黒い液だまりを床面につくり、雨跡のようにそこに不思議な跡を残す。個体と液体のそれぞれの特徴の境界面を新たに接合することによって、現代社会に生きる私たちの麻痺した表皮に、分類不可能な刺激を新たな物質的強度として与えてくる。（J.U.）

名和晃平
《Force》2015/2017年

菅木志雄
《周位律》1997/2017年

菅木志雄（1944―）
菅木志雄は多摩美術大学で、斎藤義重のもとでモダニズムや脱構築理論を学んだ。1968年頃から台頭してきた「もの派」の中心作家である。彼らは、西洋におけるイメージ中心の造形理論に対して疑義を唱え、作者の意図の反映ではなく、モノ（素材）そのものに語らせるという、ものの存在論を強調した。

菅は基本的に素材を加工せず、割る、切る、ちぎる、結ぶなど自身の手で新たに関係付ける。石、木材、土、紙、コンクリート、金属、ガラス、ロープ、ワイヤー、針金などを用いて自然物と産業的素材を出会わせる。菅はものが空間の中で相互依存して存在する様を「放置」という概念のもとに止揚し、そこで生まれてくる光景を「状況（景）」と呼んで作品化する。自然の中にすでに構造をもった事物が存在しており、知覚者はこれを特定する「直接知覚論」から影響を受けている。1974年からはものを設置しつつ、それを置き換えることによって空間を活性化する「アクティヴェイション」と呼ぶ行為を展開してきた。これは菅の存在論の探求における「時間性」とあらわれてくる「場所性」をよく示している。

出品作《周位律》はエントランスの空間に設置されたグリッド状の構造の上部面を構成するパイプと床面におかれた石をロープでつなぎ合わせたものである。ロープは複雑に交錯し、めぐる観客の視点の中で、細いパイプの柱の間にさまざまな空間が次々と出現していく。（Y.H.）

一九七〇年以降の日本の現代文化——手紙による映画的パノラマ

小林康夫

一通の手紙が、日本の友人、しかも古い友人から届く、と想像していただきたい。そのなかで、かれはあなたに語る、一九七〇年から現在に至るまでの日本の文化を、（そんなものがあるとして）そのエッセンスを、外国人のあなたに語るためには、シネマトグラフィックに、しかもトーキーのようにかれ自身が弁士となって語るしかないと思い至った、と。半世紀にも及ぶ膨大な文化の事象を客観性の基準から語ることなど不可能だ。しかも、その文化が展開された時間が、かれ自身が生きた時間と重なるのだとしたら、つまりそれがいくぶんかはかれ自身の生の展開そのものでもあるのだとしたら、それがどれほど個人的な視点であるとしても、かれ自身が自分の身体において感覚した文化の風景を、一人称と三人称のあいだというフラクタルな視点から語ってみることこそが、もっとも誠実な仕方ではないだろうか、とかれは言うのだ。

一九七〇年、かれは二十歳だった。そう、それを「人生でもっとも美しい年だなどとは誰にも言わせない」（ポール・ニザン）と当時から口癖のように言い続けてすでにほぼ半世紀。一九四五年から七〇年の「戦後」という激しく暴力的な、文字通り地獄的な「季節」のなかで育ったのだが、ちょうど二十歳のときに、突然、その嵐が途切れ、終焉し、かれは、ほかの多くの人々とともに、歴史の時空のなかにぽっかりあいた空虚へと直面した。断絶。転換。虚無。

だが、同時に、いまだまもるべきなにものももたない裸の二十歳にとっては、それは、新しい「季節」の到来でもあった。そして、——はっきり言っておこう——それは、ほかでもないフランスからの新しい知の到来の「季節」でもあったのだ。もちろん、一九七〇年までの「戦後」の時代においても、マルクス主義と対になったサルトル的実存主義が文化の軸を形成していた。だが、フランスにおいて、闘争へと方向づけられた暴力的な実存という中心点が失墜し、むしろ主体的な中心性を分散させるような新しい知的認識が姿を現すと、さほど遅延を置かずに、日本もまた、その

「知」──構造主義、言語学、記号学、ラカン的精神分析、レトリック、ポスト構造主義、ディコンストラクション哲学、ドゥルーズ哲学、ポストモダン文化論、等々──を、導入し、それが意図的にしろ無意識的にしろ、少しずつ文化の新しい枠を提供するようになっていく。かれは、まさに、二十歳以降、いまに至るまで、日本で一括して「フランス現代思想」と名付けられた「新しい知」の潮流の紹介者であり、翻訳者であり、そしてまた批評的実践者であったのだ。

だからこそ、そのように長年、ある種の「渡し守」として生きてきた者として、かれは、いま、フランス文化に住むあなたに、いくぶんかはフランス的でないわけでもない一九七〇年以降の日本の文化について、なによりもそれを生きたみずからの身体の感覚をもとにして、語ってみたいと言うのだ。ここでの鍵は、「身体」であり、「感覚」である。かれは、すでに、別の場所で、一九四五年から一九七〇年までの日本の戦後文化について、「肉体」という言葉を中心にして語ってきていた。(1) 暴力と性とに貫かれたその言葉にかわって、ここでは、「身体」というよりニュートラルな、ほとんど現象学的な言葉が選ばれている。きわめて象徴的─経済的に言うのなら、作家・三島由紀夫のあの倒錯的な自死(一九七〇年十一月二十五日)のうちに、「戦後」の行動的な「肉体」は死に、そうしてそれが、ニュートラルで、日常的で、感覚的な「身体」に置き換わった。それこそ、かれが感覚した文化の切断の位相転換ではあったのだ。そこから出発して、そのほとんど無名の「身体」が、どのような文化の風景のなかを歩いていったのか、それこそが、ここでかれがあなたに差し出すシネマトグラフィーにほかならない。

そして、まず、かれはあなたに言う──「この〈映画〉は大きく二つの部分に分かれている。簡単に言うなら、第Ⅰ部は、一九七〇年から一九九〇年まで。厳密には、一九八九年の『昭和』という元号が『平成』へと替わったときでもいいし、あるいは、バブル経済が崩壊した一九九〇年でもいい。あなたもよく知っているように、八九年には、ベルリンの壁が崩れて、いわゆる世界の冷戦構造に終止符が打たれた。中国で天安門事件が起きたのもこの年だ。この時期、世界の構造の全体が大きく変わり、そして日本もまた変わった。それに続く第Ⅱ部は、一九九一年から二〇一一年までとしようか。日本ではいわゆる『失われた二十年』と言われる経済の低迷の時代。それが、二〇一一年の東日本大震災によって悲劇的な破局へと至る。その後、いまに至るまでの六年間は、いまだわれわれの『現在』であって、その進行中の文化を見通して他者に語ることはできない。われわれの〈映画〉の余白に未完のコーダとして流れていくだけだ」と。

こうしてようやくあなたの目の前のスクリーンに、タイトルが現れる。

1

空間へ、そしてファンタジーへ（一九七〇―一九九〇）

そしてその背後に投影されるのは、都市の風景、より正確に言うなら、少しずつ、しかし急速に、都市が形成されていくイメージである。すなわち、首都・東京を舞台にしたいくつかの指標を掲げておくだけだが、一九六八年の霞ヶ関ビルディング（一五六メートル）を皮切りに、七〇年世界貿易センタービル（一六三メートル）、七一年京王プラザホテル（一七九メートル）、七四年新宿住友ビル（二一〇メートル）新宿三井ビル（二二五メートル）、七八年サンシャイン60（二四〇メートル）と超高層ビルが次々と建築され、それが「戦後」という雰囲気を漂わせていたそれまでの東京の街を、まったく新しい都市空間へと再組織していくのだ。都市という現実の変容。しかも、そこには、超高層ビルという垂直方向だけではなく、たとえば多摩ニュータウンのような「郊外」の大規模な開発という水平方向への変容も組み込まれていた。『日本列島改造論』とは、七二年に首相となった田中角栄が掲げたマニフェストであったが、日本列島は都市の再組織化という空間改造の狂躁的渦へと巻き込まれていく。だから、この時代の主役は、もしあるとするならば、なによりも都市、生成し続ける都市空間そのものであったと言わなければならないかもしれない。

かれは言う、――「じつは、〈空間へ〉という言葉は、一冊の本、つまり建築家・磯崎新が一九七一年に刊行した建築論集のタイトルである。だが、間違ってはならないが、それは、〈住むための空間〉を志向する言葉ではない。そうではなくて、意味を宙吊りにし、時間を停止させ、磯崎の言葉を借りるなら〈歴史の連続性を断つ〉ことを主張する言葉。すなわち、新しい未来都市の生成を楽観的に称揚するのではなく、むしろ『未来都市は廃墟そのものである』ことを断言する言葉なのだ。言い換えれば、いまここで、生まれつつある、――ポストモダン的とでも言おうか――新しい都市は、かれが、『少年の無邪気さで』、駆け回っていた焼夷弾による空襲がもたらす廃墟の記憶と重ねあわされているのだ。創造はすでにして痕跡である。ずれである。前の時代において、『肉体』という強度あるいは暴力の『時間』が歴史を引き受け、歴史を創造することが主張されていたのだとすると、この時代は、そうした主体の強度の美学（感覚学）から、複数の異なる時間性が共存する『ずれ』と痕跡の美学へと転換したと言うことができるだろう。だから、わたしとしては、〈空間へ〉という格律を、唐突とうつるかもしれないが、同時代のジャック・デリダが言った『差異』différance、いや、それをわたしなりに勝手に書き換えて、〈「差異─彷徨」diffé-errance へ〉と翻訳してみたい。つまり、この時代、主体は前の時代のように衝動的な運動によってみずからを特異化するのではなく、むしろ空間に走るさまざまな境界を横断し、異なる世界を発見し、その『ずれ』そのものを感覚し、それを生きようとすると言ってみたいのだ」。

こうして、この時代の通奏低音（オスティナート）のひとつは、明らかに異文化、とりわけ非西欧的な異文化の発見である。しかもこの「異文化」のなかには、忘れられていたさまざまな「日本」の基層文化、民衆文化の「発見」も含まれていた。日本文化そのものが、「異文化」のひとつとして再認識され、再創造されるようになる。たとえば、パリのオートクチュールを捨てて、日本に戻り、街中の職人の作業衣や地方の民衆的伝統衣装を「発見」することでみずからのオリジナリティを確立したファッション・デザイナーの三宅一生が、初期の仕事をまとめた写真集のタイトルが「EAST MEETS WEST」（七八年）であったように、「日本」を含めて異文化と出会い、それと対話する「文化人類学的な眼差し」が、──前の時代のあまりにも性急な思想的・政治的眼差しにかわって──文化のひとつの主軸になる。しかも、それは、──もちろん、日本にも柳田國男や折口信夫など民俗学の長い伝統があるのだが──なによりもフランスのレヴィ＝ストロースなどの文化人類学の影響の下であったように思われる。だからこそ、数多くの「知識人」のなかからあえて時代の代表者をひとり選ぶならば、──前の「戦後」の時代は、政治思想家の丸山眞男であったとするなら──磯崎新の友人でもあった文化人類学者の山口昌男と言うべきかもしれない。山口は、七〇年代、文化の「中心」と「周縁」との相補的関係に着目しつつ、その両者を行き来して媒介する主体を「道化」（トリックスター）として理論化した。かれは、一九七五年に『道化の民俗学』を出版したが、そこでは、世界のさまざまな文化を論じつつ、境界を軽やかに侵犯しながらエロスと笑いの祝祭的な空間を醸し出していく「道化」の文化を論じたのだが、それは、政治的な急進主義が挫折したあとの主体のあり方へのレッスンともなったのだった。

実際、この時代、多くの知識人が、バリ島、メキシコ、ハワイ、アフリカなど世界各地の文化との出会いを経験している。それは、それまで日本の近代化を支配していた「西欧文化」をキャッチ・アップしようとする眼差しとは根本的に異なる、形式的な普遍性とは異なるもうひとつの、それ自体は特異性としてしか現象しない「普遍性」への探求の眼差しであった。しかも、その眼差しはなによりもまず、日本文化そのものに向けられており、そこで日本文化が再発見されることになる。その再発見の成果が、たとえば一九七八年のパリの「秋のフェスティヴァル」Festival d'automne において、磯崎新が監修した「日本の時空間──間──」展のように、逆に、世界へと発信されたりもした。そこでは、まさに「間」すなわち「ずれ」という基本概念の下に日本の文化が展望されていたのだ。

だが、忘れてはならないのは、この文化人類学的な「道化」の眼差しが、同時に、現実を超えた、あるいはより正確には、現実の「下」にある想像的な世界、つまりファンタジーを「見る」眼差しでもあったことだろう。

かれは言う、──「この時代の気分は、基本的にはユーフォリア（euphoria）であったのだが、しかしそれは、あくまでも現実の『下』には〈廃墟〉が、あるいは〈挫折〉や〈死〉が空洞のように横たわっていることを知っている気分なのであった。そうした『空無』は、現実のちょっとした『隙間』、『瞬間』を通って、いつでもファンタジーとして噴出してくることができる。『ここでは戦争は起っていないが、しかし海の向こうで起っている戦争の光景をわれわれは蜃気楼として見る』。あるいは、『われわれのこの現実の地下には、迷路のように「世界の終り」の街が拡っている』、──ファンタジーと現実とが相補しあい、交通しあう。[2] そのあいだを、──もはやいかなる最終的な〈解決〉も信じることができないわたしは、いつまでも、終りなく、彷徨い続けるのだ。いまの時点から振り返って見たときの感慨だが、ここには、ある種の新しい倫理があるかもしれない。すなわち、──まさにアレクサンドル・コジェーブが予告した通りということになるのだが──『世界の終り』との共存というカオスを引き受けるという倫理である。文化現象としては、それは、宮崎駿のファンタジー映画『風の谷のナウシカ』（一九八四年）と村上春樹の『世界の終りとハードボイルド・ワンダーランド』（一九八五年）によって象徴的に示される断層線においてはっきりと顕在化してきたように思われる。おそらく、『ニュー・アカデミズム』と呼ばれた知の現象など多くの事象を挙げることができるだろうが、八〇年代の半ば頃までには、文化の新しい形態がかなりはっきりと現れてくると言えるだろう」。

こうして、われわれのスクリーン上には、いつの間にか、現実の都市の風景に替わって、たとえば『風の谷のナウシカ』のアニメーションの一部、「腐海」と呼ばれる毒を発する粘菌の森の上を、両翼を備えた「メーヴェ（軽量飛行装置）」に乗る十六歳の少女ナウシカが飛び回っているイメージが映し出されている。〈世界の終り〉上に浮かぶ無垢のインファンスの〈明るさ〉──それこそが、この時代のエンブレームではあった。

2

社会の現場、そしてカタストロフィー（一九九一—二〇一一）

だが、ファンタジーであったはずのものが、現実としてせりあがってくる。それが、われわれのシネマトグラフィーの後半のドラマである。日本経済は、一九九一年を境にして、七三年から続いていた安定成長期が崩壊的に終りとなり、「失われた二十年」と呼ばれる長期の低成長期へ突入する。しかも、テロリズム、地震による自然災害、事故などが追い討ちをかける。われわれのスクリーンには、アニメーションではなく、阪神・淡路大震災のときの燃え上がる町並み（一九九五年）、カルト教団によって散布されたサリンによって東京の複数の地下鉄駅構内で倒れ伏す被害者たち（一九九五年）などのリアルな惨状のイメージが続き、それは最後には、東日本大震災のすべてを押し流す津波、そして福島の原子力炉の破壊されたイメージ（二〇一一年）へと達するのだ。

かれは言う、——「ごらんのように、カタストロフィックなイメージばかりが続くのだが、だからと言って、この時代が全面的に〈暗さ〉に覆われていたわけではないことは言っておかなければならない。いまの時点から振り返ってみると、この時代は、文化全体が、きわめて急激に変質していった時代だと思う。しかも、それは、日本に固有のものというよりは、情報技術革命と結びついた、いわゆる地球全体にかかわるグローバリゼーションという文化変容であった。わずか二十年あまりのあいだに、資本主義に基礎づけられた人間の文化全体が、大きく変わった。そこには技術的進歩がもたらす楽天的な〈明るさ〉がなかったわけではないが、同時に、その変化は、既存の文化や社会の枠組みを内側から空洞化し、解体してもいる。これを受けて、〈人間であること〉をどのように再定義し、再組織するか、その問いは、地球上の人類全体にとっての切迫した問いであるのだが、ひとつの普遍的な答えがあるというよりは、具体的で、特異な場において実践をともなった答えをそのつど試みることしかないのではないか。その意味で、この時代の日本の文化も、ひとつの『大きな物語』や『大きな思想』が支配的であったというより、社会のなかの個々の『小さな現場』における実践こそが重要であったのではないか。すなわち、境界は、自国と外国の文化のあいだに走っているだけではなく、社会のあらゆるところに走っている。街に、地域に、家族に、職場に、制度に、人間関係に。あらゆるところに、ジェンダー、身体的障がい、国籍、貧困などさまざまな種類の差別が走っている。ひとつの固有名詞に集約される『思想の言葉』ではなく、むしろそれぞれ特異な無名の場において、自分と他者とのあいだに走る境界線を問題化し、可視化し、表現する実践を行うことこそが、この時代のひとつの要請であったのではないだろうか」。

そうであれば、この時代は、あえて言うなら、学問としての社会学というより、社会のさまざまな現場における「小さな実践」の社会学の時代であったのかもしれない。日本は、世界的に見ても突出して、社会の高齢化が進み、全体としての人口も減少している。それゆえ大都市には人口が集中するが、その反面、地方では急速に過疎化が進んでいる。地域的なコミュニティをどのように維持するのかという問題は日本の社会にとってはきわめて切実で重大なのだが、さらに地震などの大規模の自然災害がもたらした荒廃から地域を再生するという緊急な課題も迫ってくる。だが、どの地域もひとつとして同じではなく、自然条件も歴史的条件も含めてすべてが異なっている。一般的、普遍的な処方はなく、それぞれの特異性に応じて、政治―経済―社会―文化それぞれの次元が絡み合うきわめて複雑な実践を行わなければならないのだ。

特筆すべきことは、――これは日本だけのことではないが――この複雑な課題に対してこそ、芸術的実践が応答するということが起ることだ。すなわち、芸術は、個人の表現であることを超えて、社会のなかの個別の場において、そこに走るさまざまな境界を横断しつつ、それを活性化し、それを他者へとつなぐ実践となる。芸術が社会的な絆の再生に関与するようになる。芸術もまた変容するのだ。そして、このような芸術活動がたとえばビエンナーレやトリエンナーレといった芸術祭として、特定の地域に組織されると、それはその地域の振興という社会的な課題に応えることにもなる。ここでは、一九九九年開始の「横浜トリエンナーレ」、二〇〇〇年からの「大地の芸術祭　越後妻有アートトリエンナーレ」や二〇一〇年からの「瀬戸内国際芸術祭」などほんのいくつかの例を挙げておくことしかできないが、芸術と社会とのあいだに祝祭的でもある場が開かれることは、たんなる地方の逸話ではなく、この時代の文化の方向性をもっとも力強く物語っているのである。

かれは言う、――「一方では、われわれの現実は、アポカリプス的なカタストロフィーによって穴をあけられている。他方では、電子情報技術の飛躍的進歩によって、文化のあらゆる次元においてヴァーチャルなゲーム的・ファンタジー的世界が浸透してきている。われわれの身体も、このふたつの〈終り〉――現実のカタストロフィーとファンタジーのゲーム――のあいだで揺れ動きながら、それでも、世界の（少なくとも広大なユーラシア大陸の）果てに位置するこの群島のにおいて、大地と天空とをみずからの感覚において結びつけようと〈小さな実践〉を展開しているように思われる。それは、人間にとっての現実を、そのもっとも小さな規模であるみずからの身体の感覚から出発して再構築し、再生しようとする〈小さな実践〉である。が、その〈小ささ〉こそが、世界の真の広大さへとつながっていることを、われわれは疑ってはいない。そこに希望がある。もちろん、それは、わたしに、あるいは、われわれにとっての希望ではない。そうではなくて、ゲーテの『親和力』を読むベンヤミンが『希望なき人々のためにこそ、希望はわたしたちに与えられている』と語っていたような、他者のための希望である。みずからが立つ現場において、カタストロフィーとファンタジーのあいだで、『大きな論理』ではなく、――たとえ『道化』となるとしても――みずからの感覚に忠実に『小さな希望』を実践すること、それこそが、この時代の最良の文化であったのではないだろうか」。

こうして、日本の友人からあなたに届いた手紙は、シネマトグラフィーの構想の最後に、それでも「希望」を語ることで終っている。一九七〇年から半世紀にも及ぼうとするこの時代に、日本という群島（アーキペラゴ）において、ひとりの身体の感覚がそのまま世界の感覚へとつながっていることを発見し、信じて、行われてきた〈小さな実践〉の数々が、「希望」の小さな光として、あなたに届くようにと手紙は願っているのだ。

註

（1）筆者は、二〇一二年パリのコレージュ・ド・フランスにおいて日本の戦後文化をテーマに四回の講義を行った。そこで開始された研究は、その後、継続され、二〇一六年に『オペラ戦後文化論1　肉体の暗き運命　一九四五―一九七〇』（未來社）として刊行された。そこでは、表題に見られるように一九七〇年までの文化が論じられていたが、その後、一九七〇年代以降の文化についての論考が、雑誌連載として二〇一九年末まで継続された。それをまとめて二〇二〇年五月には、『オペラ戦後文化論2　日常非常、迷宮の時代　一九七〇―一九九五』が刊行された。

（2）ここでは、村上春樹の小説だけではなく、一九七七年の村上龍の小説『海の向こうで戦争が始まる』も参照されている。

東日本大震災とソーシャル・メディア

毛利嘉孝

1

マス・メディアからソーシャル・メディアへ？

東日本大震災は、多くの日本人がツイッターやフェイスブック、Ustreamといったソーシャル・メディアの有効性を認識し始めたという点で決定的な出来事だった。東日本大震災の起こった二〇一一年までに、インターネットのデジタル技術とスマートフォンやタブレットを含む携帯端末の普及によって若者たちの間でソーシャル・メディアはすでに広まりつつあった。総務省の統計によれば、二〇一一年時のフェイスブックやミクシィなどSNSを使っている人の割合は七五・一パーセント、ブログが五四・八パーセント、ツイッターが五〇パーセントとなっている（総務省 二〇一〇）。しかしながら、多くの人々にとってソーシャル・メディアは、新聞やテレビなど伝統的なメディアに比べると副次的な余暇のためのメディアにすぎなかった。

とはいえ、東日本大震災とソーシャル・メディアの到来のみが、認識論的切断をもたらしたかといえば、それも誤りだろう。確かにこうした議論は当時論壇を賑わせた。けれども、マス・メディアからソーシャル・メディアへという推移は、メディアの条件だけを意味するのではなく、国家のイデオロギー装置による、そしてそれを通じて再生産された社会的・政治的・文化的条件全体の再構造化を意味していたのである。新しいデジタル・メディアは、現代社会において決定的な役割を果たしているものの、社会の変化の原因をすべてメディア技術の発達に起因させるのもまた誤りだ。私たちは、歴史的因果性や技術的決定論を含むあらゆる還元論的な説明を注意深く避ける必要がある。ソーシャル・メディアは単なる技術的生産物ではなく、文化的、社会的、そして政治的でさえもある生産物でもあるのだ。

したがって、東日本大震災を取り巻く社会＝文化的変容はレイモンド・ウィリアムズが「長い革命」と呼ぶ（ウィリアムズ 一九八三年）、二十世紀後半以降の長期に渡る「文化における革命」として理解することの方がより適切かもしれない。この革命は、「民主主義革命」と「産業革命」の次に起こりつつある革命である。あるいは、次のようにも考えられるかもしれない。東日本大震災とその後の経験を検証することは、歴史に対する人間主義《ヒューマニスト》的理解を越えた新しい歴史意識を扱うことを私たちに要求する。それは、自然災害は歴史を形成するにあたって最も強力なアクターであるかもしれないという意識である。すべての放射能汚染の問題を解決するためには、人間の一生というスパンよりもはるかに長い期間を要するだろう。ソーシャル・メディアによって記録され、収集され、蓄積された私たちの経験は、デジタルという様式によって、私たちの死後も生きのびるだろう。私たちは、東日本大震災の経験とソーシャル・メディアをローカルで同時代的な文脈だけではなく、より一般的で歴史的な文脈に位置づける必要があるのだ。

2

情動のコミュニケーション

東日本大震災とその後の出来事は、東京に住む私にとっては、物理的な地震の経験と一連のメディア・イベントが混在した経験だった。二〇一一年三月十一日午後三時直前東北地方に地震が起こった時に、私は東京の自宅に滞在していた。地震の揺れは、これまで人生で経験したことがないほど大きなもので、しばらく続いた。けれども、揺れる時間の長さから、この地震がどこか東京から離れた場所で起こったということは即座に理解した。これは、確か高校の授業で習ったからだ。

テレビをつけると、この地震が東北地方で起こったことを伝えていたが、それ以上詳細な情報はわからなかった。家族や友人に片っ端から電話をかけたが、どこにもつながらなかった。インターネットの接続も機能していなかった。テレビを消して、床に散らばった本やCDを片付け始めると二度目の衝撃が走った。余震が襲ったのだった。

それが正確に何時だったのかは覚えていない。再びテレビの電源を入れると私は衝撃を受けた。津波が海辺の街に襲いかかりつつあった。まるでSF映画のようなスペクタクルがテレビ画面に映し出された。私はこれが現実のものと信じることができなかった。すぐに考えたことは、もし次の地震が東京で起これば、東京も同じように壊滅するのではないかということだった。実際、余震はまだ東京でも続いていた。私は本当に恐怖を感じた。交通機関はすべて止まっていたので私の家族はみな歩いて帰宅してきた。たまたま渋谷で買い物をしていた母は郊外の実家に戻ることをあきらめて私の家に避難してきた。実家に一人残された父とは、停電のためいまだに連絡を取ることができずにいた。

三月十一日以降の地震以降のテレビ・メディアの詳細な分析において、伊藤守は、NHKとほかの放送局が仙台市の空からヘリコプターを使って撮影した津波の映像を最初に流したのは十五時五十分であることを指摘している（伊藤二〇一二）。津波が自動車やバイク、建物や道路、田畑を押し流していく映像はあまりにも衝撃的で、日本だけではなく世界中で繰り返し放送された。その頃までに、インターネットはさまざまな問題をまだ抱えつつも、ゆっくりと復旧し始めていた。YouTubeやUstreamのようなソーシャル・メディアが津波の映像を流し始めた。まもなく多くの市町村、港のさまざまな津波の映像がテレビでも放送されるようになった。夥しい数の災害の映像や画像がインターネットにアップロードされ、テレビ局がそれを取り上げ、番組の中で紹介した。あらゆる映像が、テレビやソーシャル・メディアなどさまざまなメディアを通じて流通したのである。その一部は翻訳されて海外でも流通していた。

かつて経験したこともない不安と恐怖のあまり、私はテレビを食い入るように見つめ、インターネットのウェブサイトをチェックし、ソーシャル・メディアの情報をむさぼるように読んだ。私のメール・サーバーはまだダウンしていた。理由はわからないが個人的なメッセージを送ったり、受け取ったりすることはできなかったのである。けれども、メール以外の情報手段は復活しつつあった。情報はネットを通じて共有された。

その日の十七時三十七分、NHKが初めて福島原子力発電所の事故について短くではあるが一報を流した。さらに十七時四十分、続報として津波により福島原発が停電していることを伝えたが、放射線漏れの恐れはないということだった。この段階では、マス・メディアは福島原発の問題についてこれ以上議論することはなかったが、ソーシャル・メディアは堰を切ったように原発事故の危機について騒ぎ始めた。状況が悪化する前に東京を脱出したほうがいいと主張する者もいた。

翌日、メディアの状況はさらにカオス的な状況になっていた。情報インフラが回復するにつれ、より多くの情報、画像や映像が次々とアップロードされていた。まだ外出は困難だった。余震は続いていたし、公共交通機関もまだ復旧していなかった。飲食店もスーパーもほとんど閉店してしまっていた。結局のところ自宅に留まって、テレビを見るかインターネットをチェックする以外にできることもなかったのだ。私たちの環境は、圧倒的なメディア・イメージによって包囲されてしまっていたのである。

避難地域の携帯電話やスマートフォンに搭載されたデジタル・カメラは、ソーシャル・メディアの「眼」であるだけでなく、テレビの「眼」にもなった。テレビ局は、ソーシャル・メディアのユーザーが撮影した映像を素材として使い始めていた。その映像の画質は必ずしもいいものではなかったが、もはやそこは重要ではなかった。結果的に、テレビを見ていた人々も、遠く離れて起こっている出来事をほぼ同時にソーシャル・メディアの「眼」を通じて経験することになったのである。ソーシャル・メディアの経験は、単なる「受容《レセプション》」ではなく、むしろ「環境《エンバイロメント》」となったのである。

この震災直後の数日間のソーシャル・メディアをめぐるドタバタした経験がどの程度他の人と共有されているのかはわからない。けれども、この時期私が震災や津波、そして原発事故に巻き込まれた人々と直接自分自身を関連付けようとしていたことははっきりとしている。こういうと言いすぎだろうか。しかし、少なくとも将来に対する不確実さ、不安、そして恐怖を集合的意識として共有していたのは確かだろう。なぜなら、誰も次に何が起こるか予想できなかったからだ。ひょっとすると、来るべきカタストロフに対する危惧がソーシャル・メディアのユーザーたちを一つに統一していたのかもしれない。

私たちは、自分たちがまるで小さな村に住んでいるように同じ運命を共有しているように感じていたのだった。このことは、デジタル・メディアの発展のはるか以前に、テレビや電話のような電子メディアの時代に「地球村《グローバル・ヴィレッジ》」の到来を予言したマクルーハン（マクルーハン　一九六二）のことを思い出させた。マクルーハンは、一九六〇年のカナダのテレビ局CBCのインタビューの中で、新しいメディア環境を説明するために地震の経験について触れている。「もし地震が起きれば、私たちがどこに住んでいても（大地の揺れによって）同じように地震が起こったというメッセージを受け取るだろう」と彼は言ったうえで、次のように続けている。「今日の十代、私たちの新しいガジェットを持っている時に特に自宅にいるように感じる未来の村人たちは、私たちの部族をよりいっそう近しいものとしているのだ」。マクルーハンの議論では、村人たちがこうした所属意識を獲得するのは、非言語的なコミュニケーション、彼の言葉を借りれば「部族の太鼓」である。それは情動的なコミュニケーションの道具なのだ。

この議論を引き継いで、私は以下のように主張したい。大地の揺らぎ、停電をも含んだ東日本大震災がもたらした経験とソーシャル・メディアの音や映像は、手に手をとって、特定の緊急事態において新しい〈地震的〉な村意識を作り出した。それは、集合的ではあるが断片的かつデジタル化された感覚であり、その感覚において、私たちは時間と空間を越えて同時代的に生きているのである。

ここで、もちろん私たちは批判的な視点を保たなければならない。ソーシャル・メディアでさえも、災害のその最初の段階ではイメージを補足することができなかった。もっとも被害の大きかった地域では、ソーシャル・メディアは機能しなかったのである。すべての電力供給は完全に停止し、すべての情報インフラはアクセス不可能になってしまった。携帯端末もまた機能しなかった。というのも、ほとんどの電波の中継基地が破壊されてしまったからだ。ソーシャル・メディアでさえも、真の犠牲者は表象することはできなかった。その声は聴かれなかったし、姿も見られなかった――少なくとも、その災害の真っ只中においては。

畠山直哉の東北の風景の高解像度写真は、このメディアのジレンマ――記憶と記録の間の複雑な関係――を私たちに思い出させる。どんなメディアも、人々の、特に犠牲者の経験や記憶を補足することはできない。メディアができることは、残されたもの、目に見えるもの、耳で聴こえるものを記録することだけである。メディアは、現実的なもの、風景の背後で起こったことを表象することはない。けれども、記録されたイメージは、記憶を終わることなく生産し、再生産し続ける。畠山の作品は、表面的にはとても静かで沈黙しているように見える。けれども同時に、私たちはその風景の背後で、何かが起こり、今でも起こっており、そして将来何かが起こるだろうということを感じることができる。それは、実際に災害を経験していない人々の間でさえも共有されるような意識を作り出しているのだ。

震災直後、多くの人々、土地、そして経済が破滅的にダメージを受けたにもかかわらず、そこには、なぜか奇妙な

「希望」のようなものが、特に若者たちの間で感じられた。彼らは、この最悪の状況は世界を変革する最大の機会になると考えたのかもしれない。ボランティアとして復興プロジェクトに積極的に参加する人もいれば、必要な情報を集約して、流通させるようなライフラインのネットワークをソーシャル・メディアで作る者もいた。反原発運動のような政治運動を始めるものもいれば、反資本主義的な生活様式を模索するものもいた。このことをソルニットがいう「災害ユートピア」(ソルニット 二〇一〇)の具体的な例として見ることができるかもしれない。

伊東豊雄、山本理顕、妹島和世などの建築家が始めたプロジェクト「ホーム・フォー・オール」は、こうした歴史的災厄においてユートピア的なコミュニティの建設を模索した例として理解できるだろう。建築の近代主義的なイデオロギーに挑戦しつつ、彼ら、彼女らは、人々が一緒に生活をし、経験を共有し、お互いに助けあうような一時的で弱いコミュニティを作り出そうとしたのだ。それは、物理的にも精神的にも「家《ホーム》」を失った人のために「家《ホーム》」を作るというプロジェクトだったのである。

3

オルタナティヴ・メディアとしてのソーシャル・メディア

東日本大震災とそれに続く福島原子力発電所事故は、ソーシャル・メディアに別の社会的役割を与えた。主流のメディアに対するオルタナティヴとしてのソーシャル・メディアである。ソーシャル・メディアは、主流のメディアが流通させる情報を検証し、批判的かつ専門的見地から状況を分析し、主流メディアが扱うことがない情報を発信し始めたのだ。特に福島原子力発電所が、三月十二日から二十五日にかけて目が離せない状態になり、メルトダウンを起こし、水素爆発を誘発し、放射線物質の放出を行ってからは、主流のメディアは政府と東京電力が発表する公的な発表しか流さなくなったが、それに対抗していくつかのソーシャル・メディアは、自らの見解を拡散させ、政府に実際に起こっていることを伝えるように求めた。反原発運動が広がりを見せる中で、ソーシャル・メディアは、人々を動員し、組織し、集める上で決定的な役割を果たした。

原発事故直後は、多くのテレビ番組は公的な発表しか報道せず、自らジャーナリスト的な調査報道をすることはほとんどなかった（伊藤　二〇二〇）。テレビ局は、政府や東京電力の発表をそのまま受けて「原子炉は安全です」であるとか「万一放射能が漏れている場合でも、ただちに人体や健康に影響を及ぼす数値ではない」と繰り返したのである。けれども、近年の検証では、政府も東京電力も事故のかなり初期の段階からメルトダウンと放射能汚染の危険に関する情報を共有していたことが明らかになっている。

むしろ独自の調査報道を行って原発事故や周辺の状況について積極的にニュースを発信したのは、独立系ジャーナリストだった（毛利　二〇一三）。三月十三日には、日本ビジュアル・ジャーナリスト協会ＪＶＪＡ（＝Japan Visual Journal Association）と『Days Japan』の編集者からなる六人のジャーナリストが、事故のデータを収集するために原発事故現場近くの双葉町に向かった。彼らは、原発事故と放射線汚染による健康被害を専門とするジャーナリストたちで、一九八六年のチェルノブイリ事故以降、積極的に議論に参加してきた。彼らは、自分たちが持ち込んだガイガー・カウンターの針が振り切れるほどの高い放射線量をその地域が示しているようすを撮影し、スカイプを通じてその映像を東京へ送った。その映像はその日のうちに、ウェブを中心に活動する非営利の独立系メディア機関 OurPlanet-TV によってアップロードされ、日本だけではなく世界中の多くの人々に衝撃を与えた。

原子力資料情報室ＣＮＩＣ（＝Citizen's Nuclear Information Center）もこの間重要な情報源となった組織である。ＣＮＩＣは、原子力エネルギーに関する事故や科学的知識に関する情報を提供する認定ＮＰＯである。一九七五年に東京で設立されて以来、彼らは原子力エネルギーに関する調査や研究を続け、信頼できる情報の提供と一般の人への教育を行ってきた。事故直後三月十二日に、彼らは最初のウェブ・ストリーミングを開始し、そこで元東芝のエンジニアとして長く原子炉格納容器の設計、とりわけその耐久性と安全性に関わってきた後藤政志が、専門家の立場から冷却システムが故障し、メルトダウンがすでに始まっている可能性が極めて高いという分析を行った。

この時までＣＮＩＣは、ソーシャル・メディアを利用したことがなかった。十二日にＣＮＩＣのための最初の番組を立ち上げたのは、ジャーナリストの岩上安身が二〇一〇年に設立したインターネット・ジャーナリスト機関ＩＷＪ（＝Independent Web Journal）である。ＣＮＩＣは、ソーシャル・メディアの使い方をＩＷＪから学び、すぐに自分たちで定期的な番組配信を行えるようになった。その結果、この原発事故の重要な情報源となったのである。ＣＮＩＣの当時スポークスパーソンだった澤井正子は、後にシンポジウムで東日本大震災の前は Ustream を見たことさえなかったと述べている。CNICがUstreamによる情報配信を始めたのは、地震のあとにあまりにも多くの問い合わせが殺到したからだという。このことは、東日本大震災とその後の原発事故がどのようにソーシャル・メディアが普及する契機になったのかを示す格好の例である。

ソーシャル・メディアが持っているトランスナショナルな性質も重要だった。というのも、伝統的なマス・メディアは依然としてナショナルであり続けているからである。ソーシャル・メディアの情報は一度アップロードされると、すぐに無数の匿名ボランティアによって翻訳され、世界中に配信された。海外メディアや専門家は、それを分析し、解説を加え、その内容はさらに日本語に翻訳され、字幕が付けられ、流入して、日本中に広まった。CNICのようなグラスルーツの組織は、このようなトランスナショナルな情報ネットワークのハブとして機能した。原発事故のような問題では、マルクスがかつて「一般知性」(マルクス 一九五八—六五)と呼んだ集合的知性が、グローバルな規模でソーシャル・メディアの助けを借りながら、組織化され、生産されたのである。知的資源とテクノロジーを基盤にした匿名の知識人たちが、特定の問題を解決するために共通の集合的な知識を生産したのだ。

4

東日本大震災、ソーシャル・メディア、社会運動、そしてメディアに媒介されるアート

東日本大震災とそれに続く福島原発事故を日本の戦後社会運動史の転換点として見ることができるかもしれない。これをきっかけに、原子力エネルギーに反対する多くのデモや集会が開催された。原発事故が起こって一カ月後の二〇一一年四月には、最初の反原発デモが高円寺で開催され、その後ほぼ毎週街頭デモや集会、学習会、会議などが各地で開かれた。二〇一二年七月に政府が、震災後全ての原発を停止させた中で大飯原発の再稼働を決定した際には、およそ二十万もの人が首相官邸前に反対のために集まった。

二十万人という参加者数は、一九六〇年代の日米安全保障条約反対運動やそれに続く学生運動の時代の後——沖縄の政治集会を例外として——最も大きな数となった。その運動の中に一九六〇年代の政治運動やそのほかの社会運動と比較しても大きく三つの興味深い特徴を見ることができる。第一に、多くの参加者がどこか労働組合のような

組織や党派の一員ではなく、個人として参加していたということ。第二に一般的に非政治的だと思われていた大学生など若い世代や家族連れなどが、それまでの社会運動と比較して多く見られたということ。第三に、彼ら、彼女らが抵抗の身振り《ジェスチャー》として、音楽（ラップやドラム）、きれいにデザインされた横断幕やプラカード、ポスター、Tシャツなどさまざまな文化的な様式を導入したことである。こうした特徴は、二〇一三年の特定秘密保護法案に対する反対運動、二〇一五年の安全保障関連法案に対する反対運動などその後の社会運動に引き継がれた（高橋、SEALDs 二〇一五）。

この三つの特徴に対して、ソーシャル・メディアは、運動において情報を拡散し、意見を共有し、政治を議論し、人々を集めるという点で決定的な役割を果たした。ソーシャル・メディアは、社会運動を促進するための自律的なサイクルを作り出したのである。ソーシャル・メディアは「動員のためのメディア」（津田 二〇一二）になったのだ。特に若者たちを媒介的集団なしに直接結びつけるメディアになったのである。ここで、ソーシャル・メディアが、単なるリニアでテキスト的な論理や政治的イデオロギーを越えて、音や画像、映像などの経験とともに「情動」をも流通させていたことは指摘しておくべきだろう。

この個人化（individualization）ではなく、個体化（individuation）の過程において、媒介なき経験の共有が行われる。この過程は、同時に古典社会学者であるガブリエル・タルドがかつて印刷メディアの時代に想像した「公衆《パブリック》」が、デジタル・パブリックとして形成される契機の一つでもある（タルド 一九八九）。タルドによれば、政治的な理由によって公共空間に集まる人々は、知識のない組織化されていない単なる群衆ではない。むしろ新聞や雑誌など印刷物によって組織化された人々である。彼らは、お互いのことを直接知っているわけではないが、非言語的な情動的コミュニケーションである、他者の模倣を通じて集合的に動くことができるというのである。社会なき集合活動を想像したタルドの試みは、デジタル・メディアの時代にこそいっそう現実性を帯びているように感じられる。

ソーシャル・メディアの時代において政治に対して芸術的介入を行っている作家たちはそれほど多くはないが、何人か存在している。竹内公太のヴィデオ作品《ふくいちライブカメラを指差す》は、震災後に制作された美術作品の中でも最も興味深い作品だろう。これは、福島原子力発電所の作業員が、全身白い放射能防御服で身を包み、マスクで顔を覆って身元を隠している一人の男が、原発の現地に設置された二十四時間監視カメラの前に立って、カメラに向かって二十分間指を差し続けるという映像作品である。この映像は、当時インターネットを通じて見ることができ、ネットでは大きな話題になった。これは政治的行動なのだろうか。アート・パフォーマンスなんだろうか。本物の原発作業員なのか。テロリストなのか。どのような意図で行われているのだろうか。

この論争に終止符が打たれたのは、これがアメリカのアーティスト、ヴィト・アコンチにオマージュとして捧げられたパフォーマンスの一部であると匿名の男が明らかにした時だった。この映像を見た人の多くは、この作業員を竹内公太と認識したが、竹内自身はそのことを曖昧にし、作業員を匿名のままに留めようとした。この作品は、現代美術に対する介入であると同時に、現在のメディア・システムへの介入である。竹内は、この作品を通じて、「誰が見るのか」「誰が見られているのか」「誰がメディア・システムを支配しているのか」「誰が支配されているのか」を問いかけたのである。またこの作品は、電力を消費しているグローバル都市、東京と、電力を供給している福島の間の物理的・心理的距離を批判的に検証する作品である。

アーティスト・コレクティヴ、Chim↑Pomの映像作品《LEVEL 7 feat. 明日の神話》は、介入主義的芸術のもう一つの興味深い例である。二〇一一年四月十一日、渋谷駅に壁に設置された岡本太郎の有名な壁画が、小さなペインティング作品を一角に取り付けられることによって「爆撃《ボム》」された。そのペインティング作品には、爆発する福島原発の絵が付け加えられていたのである。岡本の壁画は、歴史的な原爆の悲劇を描いた芸術作品として有名だった。このグラフィティ的なスタイルを取った介入は当初匿名で行われたが、後に展覧会の映像作品の一部となるChim↑Pomのプロジェクトであることが判明した。竹内のパフォーマンスと同様、彼らのゲリラ・パフォーマンスは、ソーシャル・メディア上で芸術と政治の境界線を越えて大きな話題となった。このようなアーティストによる政治的介入は、しばしばゲリラ的スタイルを伴った匿名性と話題性を基盤にしているが、オルタナティヴ・メディアとしてのソーシャル・メディアの発展とともに変容しているメディア環境に対する応答として理解することができる。

5 保守政治、排外主義的ナショナリズム、そして極右

ソーシャル・メディアは進歩的な政治だけではなく、反動的な政治にも奉仕する。実際日本の政治における一般的な雰囲気を考察すれば、保守的、国民主義的勢力や右派勢力の拡大をたやすく発見することができる一方で、左翼や社会主義者はいうまでもなく、リベラルな勢力でさえも力を失いつつあることがわかる。

国会では、震災後の二〇一二年自民党が民主党から政権を奪回して以来、安倍政権が高い支持率を誇っている。これは、彼の保守的でナショナリスト的な政策ではなく、「アベノミクス」と名付けられた経済政策が支持されているからだというのは正しいかもしれない。けれども、戦争犯罪者を納め、国際的にも論争の多い宗教施設であり、戦前の帝国主義と植民地主義の象徴と見なされている靖国神社への二〇一三年の首相参拝を六〇パーセント以上の国民が支持しており、参拝後には支持率が僅かとはいえ上昇したことを見ると、安倍政権の右派政治は基本的には広く受け入れられていることも認めざるをえない。

この七年間の間に、自民党は日蓮宗の宗教団体、創価学会と関係の深い公明党と連立して、国会の過半数の議席を獲得してきた。その一方で、震災時に政権与党だった民主党は、立憲民主党と国民民主党とに分裂した後いまなお低迷している。リベラル左派陣営では、共産党がおそらく唯一の既存の保守政治に対するオルタナティヴと考えられているからか、わずかではあるが議席を伸ばしているが、政権に入るにはあまりにも小さな政党である。確かに議会の外では、社会運動が広がっているものの、リベラル左派、社会主義、共産主義はすべて、伝統的な代表制民主主義の中では決定的な危機に直面している。

歴史的に言って、自民党はさまざまな形でメディアを巧みに操作してきた。しかし、これは直接支配することではなく、一部のグループによって寡占されているメディア産業との合意形成を図り、ヘゲモニー的言説を組織することを通じて行ってきた（逢坂 二〇一四）。安倍政権は、この伝統を引き継ぎ最も成功している政権である。自民党は同時に、自民党ネットサポーターズクラブ（J-NSC）というボランティア集団を組織し、他のどの政党よりも巧みにインターネットとソーシャル・メディアを支配している（西田 二〇一五）。このことは皮肉なことに、ソーシャル・メディ

アは、これまでに発言の機会がなかった人にその機会を与える役割を果たす一方で、人的資源とお金が十分に投入されると、簡単に支配できるということを示している。

議会政治は別にしても、インターネット空間ははるかにナショナリスト的、排外主義的、そして人種差別的な傾向を持っている（伊藤 二〇一九）。日本語の「ネトウヨ」という語は、「インターネット右翼」を意味する言葉だが、今では日常的に用いられる言葉である。多くの日本人は、インターネットの世界では右翼の人びとの方がリベラルや左翼よりも活発だと認識している。たとえば、日本最大のBBSサービスである2ちゃんねるやツイッターを覗くと、おびただしい数の下劣な、極右の、排外主義的、人種差別的、性差別的、そしてありとあらゆる差別的言語を見ることができる。日本でも最も成功した動画共有サービスであるニコニコ動画は、画面の上に直接コメントやメッセージを書き込むことができる仕様になっているが、そこで見られる内容の多くは、保守主義者や右翼を支持するものばかりである。

その極端な例は、ナショナリスト的で極右の政治団体である「在特会（在日特権を許さない市民の会）」とその関連団体である。伝統的な右翼団体と異なり、彼らは自分たちを「市民」あるいは「一般の人びと」と位置付けている。彼らは、進歩的な社会運動と似たような方法で、インターネットを通じてネットワークを軽視し、路上のデモを組織し、集会を開催している。彼らはツイッターやフェイスブックだけではなく、YouTubeなどの映像共有サービスやストリーミング・サービスを巧みに利用する。同時に、彼らは、マス・メディアに対する憎悪を共有している。マス・メディア、テレビや新聞は彼らの敵なのだ。というのも、彼らは左翼と外国人、とりわけ在日韓国人たちが、マス・メディアを支配しており、それゆえマス・メディアは真実を語らないと信じているからである。彼らは自分たちが、戦後民主主義イデオロギーの下で周縁化され、抑圧されているとさえ感じている。彼らにとって、真実はインターネットに隠されており、マス・メディアには存在していないのだ。

ここでネトウヨの問題をこれ以上議論することは本稿の目的を越えている。しかし、ここでソーシャル・メディアが、日本においてはラディカルな政治は言うまでもなく、リベラルや進歩的政治と比較しても、はるかにうまく反動的な政治に奉仕していると指摘するだけで十分だろう。

結論——いまだ揺れている島々から

東日本大震災とそれに続く原発事故の後、いまだに奇妙な雰囲気の中に私たちはいる。フジテレビが震災後に掲げたスローガン「ひとつになろう日本」は、その意図とは裏腹に、日本がもはやひとつではなく、粉々になって、二極化、あるいはいくつかの極へと解体してしまったことを示している。超保守主義や極右の台頭は、この状況に対する不安への応答として理解することができるかもしれない。「ポスト真実」という用語で特徴づけられるフェイク・ニュースの広がりは、マス・メディアだけではなく、既存の知識生産に対する懐疑の結果である。長期に渡って、「国家＝マス・メディア複合体」が作り上げてきた単一の価値体系を信じることができた時代は、終焉を迎えつつあるのだ。

日本はいまだに揺れている。私たちが震災後学んだことは、大地は決して固定された安定した存在ではなく、流動的で不安定な存在だということである。このことは、より根本的で認識論的な変化をもたらしつつある。私たちがかつて信じていたすべての近代的な価値——進歩、科学、そして民主主義まで——が危機に瀕しているのである。私たちは、自分たちがかつてナイーブにこうした約束を信じることができた古きよき時代に戻ることができないことを認めなければならない。すべての固いものが相対主義の中に溶けてしまう（all that is solid melts into relativism）の時代に、どのように新しい文化と芸術、生活を作ることができるのだろうか。

＊　本稿は『ジャパノラマ』展覧会カタログのために英語で書かれ、英語の原文から日本語へ翻訳されたものである。

引用文献
伊藤守『テレビは原発事故をどう伝えたか』平凡社、二〇一二年。

伊藤昌亮『ネット右派の歴史社会学——アンダーグラウンド平成史一九九〇—二〇〇〇年代』青弓社、二〇一九年。

マルクス、カール（高木幸二郎訳）『経済学批判要綱（草案）』大月書店、一九五八—六五年。

マクルーハン、マーシャル（映像）「グローバル・ヴィレッジ」（https://mcluhangalaxy.wordpress.com/2013/06/12/marshall-mcluhans-vision-of-the-global-village-1960/）、一九六〇年。

マクルーハン、マーシャル（森常治訳）『グーテンベルクの銀河系――活字人間の形成』みすず書房、一九八六年。

総務省『情報コミュニケーション白書二〇一二』。

毛利嘉孝「原発事故をめぐるソーシャル・メディアとジャーナリズム」『学術の動向』日本学術会議、二〇一三年、二六―三三頁。

西田亮介『メディアと自民党』角川新書、二〇一五年。

逢坂巌『日本政治とメディア』中公新書、二〇一四年。

ソルニット、レベッカ『災害ユートピア――なぜそのとき特別な共同体が立ち上がるのか』高月園子訳、亜紀書房、二〇一〇年。

高橋源一郎＋SEALDs『民主主義ってなんだ?』河出書房新社、二〇一五年。

タルド、ガブリエル（稲葉三千男訳）『世論と群衆』未来社、一九八九年。

津田大介『動員の革命』中公新書、二〇一二年。

ウィリアムズ、レイモンド（若松繁訳）『長い革命』ミネルヴァ書房、一九八三年。

陰翳の魔法の系譜、あるいは視覚的ブリコラージュの論理

北野圭介

吉田喜重監督の『鏡の中の女たち』の終盤近く、観る者の心身をこの上なく狼狽させるシーンがある。障子に女児の影が浮かび上がり、正座した岡田茉莉子の眼差しを襲うのだが、しっかと見開いた瞳で岡田は身じろぎもしない。岡田が演じる愛という女性はその影を見て、失った娘の、いま傍に座っている孫娘の、そして孫娘が未来に生むであろう娘の影なのだとつぶやくだろう。

この小さなエッセイが接近したいのは、このシーンに立たずむ影をめぐる美学＝存在論の一端である。そのためには、二つの方法論と、二つの歴史的視座が必要だろう。

1

陰翳の魔法その系譜

高畑勲が制作したアニメーション映画『平成狸合戦ぽんぽこ』（一九九四年）の中に、数々のお化けが列をなし乱舞するシーンがある。

このシーンを目にするとき、日本文学に馴染みのある人ならば、谷崎潤一郎がものした『陰翳礼讃』の中の次のようなフレーズを思い出したとしてもおかしくはない[1]。小節「眼に見える闇」に「魑魅や妖怪変化とかが跳躍する」と記されているからである。谷崎が語っているのは屋内の闇で、他方高畑のお化けは屋外に顕れているといった表面的な違いはあるが、さほど重要なものではない。観客側からみれば、映画館という屋内でこそスクリーンの影に跋扈するお化けたちに出逢っているからである。谷崎自身も、能や文楽をはじめとする劇空間のなかで創案され実体化された闇、陰影

に格別の注意を払っている。

付け加えておけば、谷崎が芝居小屋の闇に見出しているのは、単に表現演出上の日本的特性、ではない。そうではなく、そうした闇の中に、ある種の生命力のたゆたいが張り付いていることにこそ注意が向けられている。「夜の脈搏」と谷崎が形容し書く闇は蠢くのだ。（であるので、さしあたり、認知心理学でいう cast shadow と shading の区別はここでは必要ない。陰影はいったいとなってわたしたちを襲うからである。）陰影のうちに生命感を、しかも物質的に感受する観客の心身をして、西洋的なもの、とりわけアメリカ的なものとの差異において、谷崎は「陰翳の魔法」と彼が呼ぶものを意識化したのである。それは、谷崎ひとりの了解ではなかった。[2]

ことによると、日本の外側からの視線にも感受されるものであったかもしれない。ロラン・バルトはそのなかのひとりだ。その日本文化論のなかで、バルトは、文楽の人形に関する「animé」な特質について記し、闇に包まれ動く人形に一種の生命力を見出しているだろう。[3]

わたしたちがいま見据えようとしている影は、物質化されたイメージとして在る影であることに留意しておこう。観る者の心身に作用《アフェクト》している物質の力こそ「陰翳の魔法」を放っているのだ。ハンス・ベルティングが指摘しているように、ここではフランス語の image やドイツ語の bild というよりも、英語の image と picture の使い分けが役に立つかもしれない。[4] 漆器の蒔絵にせよ、文楽の人形にせよ、厠の建築にせよ、意識内にある影の表象ではなく、心身を巻き込む情動《アフェクト》こそが発動せられているからである。しかも、超越論的な審級への憧憬を伴って。

映画においても変わりはない。谷崎が『陰翳礼讃』で正しくリストアップしているように、日本映画はハリウッド映画と、「演技や脚色とは別にして。写真面だけで」違っているのだ。日本映画の放つ光と影は、「陰翳の魔法」の系譜に連なるものだというのだ。もう少し踏み込んでみよう。

2

視覚的ブリコラージュ

「陰翳の魔法」を支える仕組みに目を向けてみよう。

映画と呼ばれるイメージの生成装置が人類史に舞い降りた時に、フランスでは photographie animé という語、英語圏では animated photograph という語、日本語では「活動写真」という語を用いていたことを思いだそう。

映画を含め映像なるものは、機械によって物質化されたイメージにほかならない。何かを表象する体制が整う前に、現実的にも論理的にも、機械によってイメージが物質化され、そして観る者に差し出されることが先立つのだ。さらに、そうした映像は、物質化されるものである以上、諸要素から組成されている。だとすれば、映画ないし機械映像は、広い意味でブリコラージュの仕組みが前提となって生成しているはずだ。機械が生成する映像は、デバイス開発の水準でのみならず、デバイスの効果を最大限自らに引き寄せる手作業の水準においてもまたブリコラージュ的である。映像というものは、二重にブリコラージュなのだ。

日本映像史では、どうであったのか。

映画が日本へ導入された際、映写装置は浅草界隈やそのほかの繁華街の見世物小屋が並ぶ通りでまず根を下ろしている。最初に撮影された映像も、『紅葉狩』(一八九九年)という、能をもとにした歌舞伎舞踊の演目であった。こういった次第は、日本においては、映画と演劇の地続き的なつながりを指し示している。これまでは、そうしたつながりは、西洋のメディア装置の日本への「土着化」という括り方で回収されてきたが、再考する視座が必要ではないか。西洋でのそれがいかなる意味でも本質的なものであったわけではないからだ。むしろ、日本におけるメディア装置も、ただ単に別様に組み立てられていただけかもしれないのだから。(5)「陰翳の魔法」は、そうした別様の組み立てに深く組み込まれていたというべきであろう。

3

江戸のトランスメディア

「陰翳の魔法」の仕組みをさらに探っておこう。

江戸末期から明治初期に新潟県で撮影された一葉の湿板写真がある。一人の男が、歌舞伎を描いた浮世絵を上方は顎でおさえ下方は右手で抱えこんで縁側に座しているこの写真は、発見した研究者により「錦絵を抱えた男」として名付けられている。

研究者によると、この地域では当時日常的に、歌舞伎の演目の一場面を屋敷の中で写真に撮影していたようだ。「歌舞伎文化圏」とでもいえる文化の生態系のなかにあったのだ(6)。加えて、写真「錦絵を抱えた男」の中の人物が真似ているのは厳密にいえば、研究者も指摘しているように、浮世絵ではなく、山東京伝の黄表紙『人心鏡写絵』(一七九六年)のなかの挿絵である(7)。その挿絵が描きこんでいたのは、当時輸入され巷間で人気を博していた覗きからくりの効能である。人の内奥にある真の姿が見通されうるという虚構の効能である。写真の男は、覗きからくりをめぐるこの奇妙な効能を語るナラティブにならっていたのだ。歌舞伎の身体所作、浮世絵の身体イメージ、覗きからくり、戯作本、写真装置が濃密に応接し絡み合っているトランスメディア環境がそこにはあったのだ。

人類学者のマルセル・モースは、ニューヨークの病院の中での看護士の女性たちの歩き方、そしてパリを闊歩する女性たちの歩き方はともに、映画スターの身体所作に作用を受けているのではないかと述べている(8)。すなわち、身体とは、トランスメディア環境の中で初めて成立するというわけだ。十九世紀日本の身体イメージもまた、写真も含めトランスメディアな環境の中でき上がっていたといえるだろう。さらに重要なのは、日本において影は、そうしたトランスメディア環境のなかで制作されたブリコラージュが創造する物質化されたイメージだったということだ。言語ではなく、物質化されたイメージを通して情動が伝達されていたのだ。先の「錦絵を抱えた男」にも影が、そして情動が物質化されている。

4 原子の影

近代の視覚的ブリコラージュとしての写真術や映画術が混ざり合ったのは、そうした影をめぐる戦術であったといえる。

とはいえ、『鏡の中の女たち』や『平成狸合戦』は、谷崎が陰翳を礼讃した時点からはるかに遠い。その距離についてリピット水田堯がその著書『原子の光』において鋭敏な指摘をおこなっている(9)。見えないということを見せること、それを物質化した装置——レントンゲン、映画、精神分析——のなかでも、映画術は、そうした視覚経験の折り畳まれる仕組みを発展させたが、日本においては、それが影のアーカイブと奥深く絡み合ったと論じており、さらには、原爆投下の後、その絡み合いが根源的に変容したと指摘しているのである。いわば、日本映画は、以降、陰影をめぐるエピステーメの変転のなかで、その美学＝存在論を転倒させるのである。

原子の光が、人間の心身を影として石段に痕跡として残したことはよく知られている。感性の次元でたゆたっていた影は以来、広島と長崎への原爆投下にインデキシカルに張り付くものとなった。

日本人の戦後の生は、影のイメージとして物質化された幽霊に取り囲まれ、戦後を生きることになったといってもいい。己の心身がなぜ影とならざるにすんでいるのかを問いながら生きることになったといってもいい——あえていえば、そこにはさらに、第二次世界大戦とさしあたり呼ばれている殺し合いにおいて加害者ともなった側面と、原爆投下により被害者となった側面がぴったりと張り付いて見分けがつかないほどに絡み合っているかもしれない。

一九六〇年安保を前後にして、映像制作には、被写体を撮影しようとする自意識への問い直しが激しく先鋭化する。それを自らの責任としてもっとも強く引き受けたのは、学生運動とともにあった作家たちである。地面を這い夜の闇をさまようキャメラを駆使した『青春残酷物語』（一九六〇年）を大島渚は制作している。あるいは、同時代東京の建物の中の薄暗い空間の時空を疾走する『薔薇の葬列』を松本俊夫が監督している。

5

陰影の官能

だが、日本映像史における「陰翳の魔法」の系譜は、一九七〇年代以降さらなる変容を被ったようにも思われる。それは、政治の季節の後のポストフェストゥムの空気感が作用したともいえるが、同時に、アメリカ的なものが生世界の中に深く浸透しはじめたからでもあろう。フレドリック・ジェイムソンは、七〇年代に資本の運動が世界システムを転回させたが、それは各国の映像表現の中に現出していたと論じている。(10) 実際、大島渚は一九七〇年にすでに、映像に関わるメディアが、その流通システムと資本の関与を拡大させ、作家とすれ違いはじめたことを察知している。(11) 一九七〇年代、「陰翳の魔法」は、一国のエートスの問題圏を越えるダイナミズムのなかに入ることになるといえばいいすぎだろうか。

その大島の文章は、異なる分野ではあるものの同時代におけるライバルとみなしていた写真家東松照明のために寄せたものである。そして、占領という主題そして長崎の被爆という主題に実存を投機した東松は、沖縄へと活動の場を移し、衆目を集める写真群を撮影することになるが、そのなかの一枚が、「陰翳の魔法」の系譜の転換点について物語っているといえばいいすぎだろうか。

この写真の背後には、アメリカに占領されていた沖縄の日本への返還について東松が示した鋭い認識がある。日本に返還されて沖縄は、そのアメリカ化が完遂することになったという認識である。アメリカ占領下では、自身らの生活を守ろうとする抵抗があったが、すでに充分にアメリカ化がすすんでいた日本の統治機構が隅々まで浸透することによってだ。そのことに着目した批評家仲里功はこの写真の中に影を看取している。[12] 仲里に着想を与えた批評家多木浩二もまた、影を認めている。おそらくは、言語化されない歴史性の沈殿として。

だが、この写真は、アンチゴネーを論じながら神々の掟と人々の掟の差異について語る『精神現象学』のヘーゲルを喚起するともいえるかもしれない。雲にかかる影は、あまりにも神々しく、その神々しさとの対比でこそ、人々の掟の次元、歴史の次元が見えない影として浮かび上がるからだ。けれども、そうした神々しさは、そのあとまもなく日本にも訪れたポストモダニズムの喧噪のなかで消費されていくあやうさ孕むものあったかもしれない。

隅々までアメリカナイズされ、記号化され、消費対象となった世界では、すべてがどこまでも明るく、シミュラークルとしての広告映像に埋め尽くされることとなっただろう。とはいえ、隅々まで照らし出された時空で、実存的な投機に賭けた東松を己の問いとして継承した作家たちもいた。微温的な明るさではなく、あえて同時代人の断片化された生の実存に影の情動を執拗に追い、自らの身体で受け止めようとする森山大道はその一人だろう。また、石内都の写真の映しだされた衣服の影には、観者と衣服を着ていたであろう人との官能上のコミュニケーションさえ潜在しているのではないか。

冒頭で触れた吉田作品のなかで、岡田茉莉子が影がたゆたう障子に全身で対峙しているのは、現代において「陰翳の魔法」の系譜を抱きしめようとしているからではないだろうか。そしてその岡田の身体と影のたゆたいの邂逅に、観る者は官能を触知するとともに、心身を穿たれるのだ。

3・11以降においてわたしたちが問われているのも、映像をめぐるこの問題圏にほかならない。カタストロフィを美学化ないし哲学化することで身体を忘れながら政治を越えることではなく、影の物質性において自らの身体をもって官能を呼び起こすという戦略を触発する問題圏である。

註

（1）谷崎からの引用はすべて、『谷崎潤一郎全集』第一七巻（中央公論新社、二〇一五年）より。ただし、現代仮名遣いに改めてある。

（2）谷崎と同時代の知識人のメディアの情動的作用への日本的特質への意識化については、拙論 Keisuke Kirano "Kobayashi Hideo and the question of Media", in *Media Theory in Japan*, edited by M. Steinberg and A. Zahlten, Duke University Press, 2017.

（3）ロラン・バルト（宗左近訳）『表徴の帝国』ちくま学芸文庫、一九九六年。

（4）ハンス・ベルティング（仲間裕子訳）『イメージ人類学』平凡社、二〇一四年。

（5）近年の日本映画、とりわけ、アニメーション映画が、こうした視覚的ブリコラージュの論理のなかにあることは、近年、少なからずの研究者によって解き明かされてきている。トーマス・ラマール（藤木秀朗・大崎晴美訳）『アニメ・マシーン――グローバル・メディアとしての日本アニメーション』名古屋大学出版会、二〇一三年。

（6）榎本千賀子「『芝居』を写す写真――今成家湿板写真コレクションにおける明治初頭の演劇写真と『歌舞伎文化圏』」『映像学』九三、日本映像学会、二〇一四年、七―一三頁。

（7）榎本千賀子「今成家写真から見える南魚沼の文化と日本初期写真史」『にいがた、地域映像アーカイブ』第五号、新潟大学人文学部、二〇一四年一〇月発行。

（8）マルセル・モース（有地亨ほか訳）『社会学と人類学Ⅱ』弘文堂、一九九七年、一二六頁。

（9）リピット水田堯（門林岳史・明知隼二訳）『原子の光』月曜社、二〇一三年。

（10）Fredric Jameson, *The Geopolitical Aesthetic*, BFI, 1992.

（11）大島渚『解体と噴出』芳賀書店、一九七〇年、二五五頁。

（12）仲里功「イメージの群島と光の詩学」『現代思想　臨時増刊　東松照明』青土社、二〇一三年、一六五頁。

大阪万博——戦後日本芸術のパノラマ

三木 学

1

未来と未知の万博前夜

一九七〇年に開催されたアジア初の万博、日本万国博覧会（通称：大阪万博）は、当時史上最多の約六、四二一万人が訪れるなど、一九六四年の東京オリンピックと並んで、第二次世界大戦後の復興を遂げた高度経済成長期の日本を象徴する国家プロジェクトである。同時に、メタボリズム建築、現代美術、現代音楽、実験映像、グラフィックデザインなどの前衛芸術家が大量に動員された、戦後最大の芸術イベントともいえる。大阪万博は、最先端技術という「未来」と、前衛芸術という「未知」の融合を空前の規模で試みた、万博史においても特異な博覧会であった。

戦後の日本では、五〇年代の「実験工房」、「具体」、反芸術を標榜する六〇年代の「ネオ・ダダイズム・オルガナイザーズ」、「ハイレッド・センター」、「グループ音楽」などさまざまな前衛芸術グループが活動し、領域横断的なイベントが行われていた。

そして、東京オリンピック開催後の一九六五年に大阪万博開催が決定し、次第に多くの前衛芸術家が関わるようになる。特に発表場所が限られていた、先端メディアを使った前衛芸術家にとっては、潤沢な予算と大勢の観客が保証された万博は魅力的であったに違いない。

しかし、六〇年代後半になると、ベトナム反戦運動や学生運動が熱を帯びる。一九七〇年は学生の反発が強かった日米安全保障条約（安保）が自動延長される年であり、万博は国民から目をそらす政策だと思われた。そのため万博に反対する「反博」運動も各地で盛んに行われた。

特に一九六八年はパリ五月革命が起こり日本にも影響を与えた。一九六八年にはデザインや建築のグループによる反博会議、一九六九年には「ゼロ次元」などが参加した前衛芸術グループによる反博イベントが開催され、万博の賛否と前衛の理念を巡って芸術家間でも激しく対立していく。また、産業的にも公害など環境汚染が社会問題化していた。

2

前衛芸術家と東西文化融合の祭り

大阪万博のテーマは「人類の進歩と調和」であり、科学技術の暴走や文化間の軋轢が問題となっていたが、二十一世紀には科学技術や文化の進歩で、それらの社会矛盾が解消されると期待されていた。そのために、大阪万博では疑似的な「未来都市」を出現させ、先進的なイメージが求められた。その意味で「新陳代謝」をテーマに、モダニズム的な鉄筋コンクリート造ではない新工法を多用したメタボリズムの建築家や前衛芸術家の斬新な表現がその要求に合っていた。

基幹施設のプロデューサーには会場基本計画の原案を作成した丹下健三が就任し、スペースフレームで出来た高さ三〇メートルの「大屋根」を設計した。他方、「テーマ館」(テーマ展示)のプロデューサーには、戦後、前衛芸術運動を主導してきた岡本太郎が就任した。岡本は、丹下健三の設計した旧東京都庁舎に壁画を制作し、一九五九年にフランスの建築雑誌『今日の建築』から「国際建築絵画大賞」を受賞している。また、若い頃にパリで、アプストラクシオン・クレアシオンやシュルレアリスト、ジョルジュ・バタイユなどと交流があり、パリ大学でマルセル・モースの授業を受け民族学的知見もあった。そして、日本の原始美術である縄文土器や「東洋の叡智の結晶」として曼荼羅をモチーフに、「大屋根」を突き抜ける高さ七〇メートルの「太陽の塔」を設計し、一見、進歩とは対極の巨大な彫像を万博のシンボルとした。曼荼羅は内宇宙と外宇宙が対の階層構造になっているので、「テーマ館」では「太陽の塔」の内側に内宇宙である「生命の樹」が展示され、地下・地上・空中で過去(根源)・現在(調和)・未来(進歩)を表す三層構造の立体的な曼荼羅が展開された。

中央部の池には、イサム・ノグチが西洋式の庭園にある噴水ではなく、東洋の滝をイメージして落水したり、回転したり、霧を出す噴水を制作している。噴水は全部で十二基あり、各基に宇宙にちなんだ名前が付けられた。最長サイズの「彗星」は高さ三三メートルあり、アルミ製の立方体の下からジェットノズルで激しく噴射された。また、七つのサブ広場には屋外彫刻が設置され、その選考にあたっては、一九七〇年に東京ビエンナーレ「人間と物質」展をキュレーションした美術評論家の中原佑介らの意見をまとめ、高松次郎、三木富雄、山口勝弘などの当時中堅の芸術家が選ばれている。

すでに世界的に著名であった「具体」は、創設者の吉原治良が美術展示委員に就任し、「万国博美術館」へのメンバーの出品及び集団制作作品の屋外展示、「みどり館」エントランスでのグループ展示の他、「お祭り広場」において「具体美術まつり」を開催した。パラシュートを付けた人間が「大屋根」から落下してきたり、銀色の物質をまとった人間が照明を当てられて動き回ったりするなど、前衛的なパフォーマンスを行った。西洋的「広場」と東洋的「祭り」の機能が接合された「お祭り広場」を中心に、前衛芸術家は会場全体を舞台にして過去と未来、東西文化が融合する「祭り」を試みたといえる。

3

前衛芸術家と企業パビリオン

国際展とは異なり大阪万博には総合的な芸術監督は存在しない。日本万国博覧会協会主導の基幹施設を担当した建築家や芸術家の就任は、主に識者の委員会によって決められた。他方、企業パビリオンについては各企業団体に任されており、膨大な前衛芸術家が未来のイメージを担ったが、その選考には広告代理店が介在した。

「せんい館」では、繊維業界団体から委託を受けた広告代理店が、世界的な評価もあった前衛的な映像作家の松本俊夫に総合ディレクターを依頼している。松本はスタッフの編成権と内容への不干渉を要求し、アングラ演劇などのポスターを手掛けていたグラフィックデザイナーの横尾忠則に建築デザインなどを担当する造形ディレクターの就任を要請した。横尾は「エロスとタナトス」をテーマにした時空間を演出するために、マルチプロジェクションの映像作品が上映されるドームの内壁に、蛍光塗料で塗った複数の女性像を取り付けた。また、ドーム外部に建設用の足場や作業員の人形を配置して真っ赤に塗り、建設途中で凍結させたような反博的要素をデザインに組み込むことで逆に評判を呼んだ。

さらに、「ペプシ館」ではニューヨーク拠点の芸術と科学の実験グループ「E. A. T.」の一員として中谷芙二子が霧の彫刻を初めて発表したり、「三井グループ館」ではメディアアートの先駆者である山口勝弘がプロデュースしたりするなど、企業館はアート&テクノロジーの実験場にもなった。

4

前衛芸術の終焉と万博の忘却

大阪万博では未来都市のエネルギーとして、会場の電気供給に原子力発電が利用された。会期中には、全国に九社あった民間の電力会社では初の原子力発電所が稼働し会場に試験送電されている。唯一の被爆国である日本の原子力アレルギーを緩和するため、大阪万博は原子力の平和利用のモデルとなった。

しかし、芸術家の中には国家政策や企業広告のためのイベントに加担したとして、負い目を感じたものもいる。会期閉幕後は積極的に言及されず、芸術史としても位置付けられなかった。そのため、後に続く地方博ブームに反して、戦後芸術史において、六〇年代の領域横断的な前衛芸術と七〇年代の還元主義的な「もの派」などの移行期にあたる大阪万博は長い間忘却されていた。

ただし、「もの派」にも影響を与えた高松次郎だけではなく、中心人物であった関根伸夫も、「万国博美術館」に出品し、さらに「三井グループ館」の敷地に屋外展示しており表現の連続性も認められる。しかし、前衛芸術の潮流は大阪万博で頂点を迎えると同時に、批判対象が欠如した矛盾が露となって終焉し、科学技術への信頼や未来に対する楽観論も一九七三年のオイルショック後、急速に後退した。

5

二十一世紀芸術への影響

日本の戦後芸術史において大阪万博が注目されるようになるのは、幼少期に大阪万博の影響を受けた六〇年代生まれの芸術家や評論家たちの発言力が増す二〇〇〇年代以降のことになる。大阪万博会場跡地を遊び場にして育ち、未来都市の廃墟＝「未来の廃墟」を原風景として、ディストピア的な世界をサバイバルすることをテーマに作品を制作し、原発事故後のチェルノブイリを自作の放射線感知服《アトムスーツ》で訪問したり、東日本大震災・福島第一原発事故後の福島でも積極的に活動したりしているヤノベケンジは顕著な例であろう。

二十一世紀になり、自然環境や社会矛盾はさらに深刻さを増しており、大阪万博の描いた未来は失効している部分が多い。しかし、大阪万博の最先端科学技術と前衛芸術の融合の試みは、万博後に生まれた芸術家や評論家たちにも、その広範囲な文化的影響と、デジタル技術の進歩で逆説的に把握できるようになった、アナログによるマルチメディア表現の革新性が改めて見直されている。

主要参考文献

『日本万国博覧会公式ガイド』日本万国博覧会協会、一九七〇年。

『日本万国博覧会テーマ館ガイド』日本万国博覧会協会、一九七〇年。

『せんい館――繊維は人間生活を豊かにする』日本繊維館協力会、一九七〇年。

『日本万国博覧会公式記録写真集』日本万国博覧会記念協会、一九七一年。

『日本万国博覧会公式記録』第一巻、日本万国博覧会記念協会、一九七二年。

『日本万国博覧会公式記録』第二巻、日本万国博覧会記念協会、一九七二年。

『日本万国博覧会公式記録』第三巻、日本万国博覧会記念協会、一九七二年。

椹木野衣『戦争と万博』美術出版社、二〇〇五年。

『メタボリズムの未来都市展――戦後日本・今甦る復興の夢とビジョン』新建築社、二〇一一年。

平野暁臣『大阪万博――二十世紀が夢見た二十一世紀』小学館、二〇一四年。

暮沢剛巳、江藤光紀『大阪万博が演出した未来――前衛芸術の想像力とその時代』青弓社、二〇一四年。

馬定延『日本メディアアート史』アルテスパブリッシング、二〇一四年。

もの派

加治屋健司

もの派は、一九六〇年代末に生まれ、一九七〇年代半ばにかけて高まりを見せた美術の動向である。石、木、鉄、水、土、紙、粘土などの自然や人工の素材をほとんどそのままの状態で用いて、ものの存在や構造を示した作品で知られる。関根伸夫（一九三六—二〇一九年）、李禹煥（一九三六年—）、菅木志雄（一九四四年—）、成田克彦（一九四四—九二年）、小清水漸（一九四四年—）、吉田克朗（一九四三—九九年）、榎倉康二（一九四二—九五年）、高山登（一九四四年—）、原口典之（一九四六—二〇二〇年）などが主な作家である。

もの派が登場した背景のひとつに高松次郎（一九三六—九八年）の活動が挙げられる。高松は、美術の根本にさかのぼって考察する美術家であった。一九六〇年代初頭、概念としての点や線を実体化したり、影を描いて実際の影と見間違えさせたり、遠近法という約束事を露わにしたりする作品をてがけて注目を集めた。これらの作品は、イメージと現実の違いを利用した「トリック」を用いている点に特徴があった。絵画であれ彫刻であれ、美術とはそもそも、素材を用いて何か別のものを表しているため、トリックを用いるものである。トリックが美術の根本にあると考えてその問題を考察した高松の思考は、アメリカの美術批評家クレメント・グリーンバーグ（一九〇九—九四年）のモダニズムの議論と比較することができる。グリーンバーグは視覚を重視し、その還元主義的な主張によって単純な色彩と構図をもつカラーフィールド絵画を高く評価するに至ったのに対し、高松は、「主知主義的」と形容されるほど、視覚よりも認識の過程を重視し、トリックの問題を絵画、彫刻、インスタレーションなど多様な媒体で展開した。高松のトリックへの関心は、美術における別の近代主義を体現するものであった。

もの派の作家の初期作品には、こうしたトリックへの関心が見られる。関根は高松の助手を務めており、成田、小清水、吉田、菅は、多摩美術大学や東京画廊を通して高松との交流があったため、彼らの高松との関係は直接的なものであった。菅の《Shadow Working》（一九六七年）は影に立体感を与える作品であり、高松の系譜を強く感じさせるものであった。関根は、一見円筒状のレリーフに見えるが、実際は半分が立体で半分が平面からなる《位相 No. 4》（一九六八年）を制作し、李も同じく蛍光色でメビウスの輪を描く平面作品（《第四の構成A》一九六九年）を制作した。ともに、立体と平面のアンチノミーを通して視覚の不確かさを考察しており、同じく高松の影響を感じさせた。トリックの問題は、静岡で活動するグループ「幻触」の飯田昭二（一九二七―二〇一九年）、丹羽勝次（一九三二年―）、前田守一（一九三二―二〇〇七年）、鈴木慶則（一九三六―二〇一〇年）、小池一誠（一九四〇―二〇〇八年）なども追求しており、一九六八年四月から五月にかけて東京画廊と村松画廊で開かれた「トリックス・アンド・ヴィジョン」展では、トリックを扱う作品が数多く展示された。トリックへの関心は、六〇年代後半の日本美術において顕著であり、その中心にいたのが高松であった。

のちに「もの派」と呼ばれることになる作家たちが、トリックからものの存在や構造へと関心を移して、もの派を生み出すことになった最大のきっかけは、関根の《位相―大地》である。直径二・二メートル、高さ二・六メートルの土の円柱及びそれと同形の穴からなる作品であり、一九六八年十月に神戸須磨離宮公園で開催された野外彫刻展で発表された。トリッキーな作品という評価を受ける中で李がそれを否定して「ものの状態の変化」を表したものだと主張したことから、もの派の考え方は急速に結晶化していった。

もの派の作品には、トリックにもものにもどちらにも取れるような作品が少なくなかった。大量の粘土を画廊に置いた関根の《空相―油土》（一九六九年）は、粘土の物質性を感じさせる一方で、大量の粘土と画廊のホワイトキューブとのコントラストによる効果も少なくなかった。李の《関係項（原題：現象と知覚B）》（一九六九年）は、もともと、切れ目の入った鉄板の上にガラスと石を置いて、一見するとガラスが割れたように見える作品だったと李は述べている。小清水の《かみ二 改題 かみ》（一九六九年）もまた、破れそうな紙の袋に巨大な石が入っており、そのコントラストがトリックの効果を生み出している。トリックのイリュージョンを否定してものの実在へと関心が向かったというよりは、トリックにあったイリュージョンと現実の間の差異が、ものとものとの差異へと変容していったと考えるべきであろう。その意味でトリックからものへの移行は、連続的なものであった。

差異への関心を抱いたもの派が、「存在」と同時に「関係」を重視したのは当然であった。もの派のマニフェストと言える「出会いを求めて」（一九七〇年）で、李は、世界を顕わにする事物との「出会い」について述べた。菅は、李と異なり、主体の介在を排したものとものとの連関に関心を向け、発泡シートの上に石を乗せて池に浮かべて、浮力と重力が拮抗する状態を作り出す《状況律》（一九七一年）のような作品を作り出した。

榎倉は、《二つのしみ No.1》（一九七五年）のように、紙や綿布に油を染み込ませたり、地面に水を撒いてひび割れさせたりする行為に取り組んだ。それは、物質間の浸透や干渉といった「関係」の問題であるだけでなく、その関係を体現する「表面」の問題を考察する試みだったと言える。高山登は、榎倉と対照的に、物質の背後に関心を抱いた作家である。高山の「地下動物園」シリーズは、鉄道線路で用いられる枕木に着想を得ている。高山にとって枕木とは、経済成長における人やモノの輸送を支えた素材であり、日本経済のために献身的に働いた匿名の人々の犠牲的な行為を暗示している。

もの派は、作品制作における作家の主体的な役割を批判した。関根は、「われわれにできうることは、ものの表面に付着するホコリをはらい除けて、それが含む世界をあらわにすることだけだと思う」と述べて、作家は、ものを鮮やかに見せるために最小限関与する存在に過ぎないと考えた。もの派において、芸術家主体に対する自己批判は徹底していた。

もの派は、同時代のヨーロッパやアメリカの美術の動向とゆるやかに関係している。ヤニス・クネリス（一九三六―二〇一七年）やジュゼッペ・ペノーネ（一九四七年―）などのイタリアのアルテ・ポーヴェラの作家や、ロバート・モリス（一九三一―二〇一八年）、カール・アンドレ（一九三五年―）、リチャード・セラ（一九三八年―）、ロバート・スミッソン（一九三八―七三年）などのアメリカのミニマル・ポストミニマルの作家との並行関係がしばしば指摘されている。近代主義に対する批判や、自然や人工の素材の率直な使用において彼らは共通しているが、アルテ・ポーヴェラの作品が行った「芸術と生」の区別に対する批判、ミニマル・ポストミニマルの作品が取り組んだ観者の身体の問題は、もの派の作品においては前景化していなかった。もの派は、芸術家主体の批判において最も徹底した点で、それらと大きく区別される美術動向であったと言える。

八〇年代から考える現在

宮沢章夫

八〇年代の半ば、ある雑誌に掲載された、西武百貨店の幹部のインタビューが強く印象に残っている。そこで幹部は次のような意味の経営理念を語った。

「モノを売るのではなく、情報を売る」

つまり、一枚の皿に例えるなら、「皿そのもの」に価値を置かず、それがテーブルに並ぶ「生活のイメージ」という名前の「情報」を売るという意味だ。高度経済成長期を経て、八〇年代に向かい、日本の経済はさらに上昇した。百貨店が目指したのは、消費者の意識を変化させる巧みな戦略だ。美しいデザインの皿が食卓にある生活のイメージを土台に消費を促す意味がある。そのことから派生したのは「文化」への意識の変化だ。だとするなら、巧まずして八〇年代の高度な消費社会、情報化社会は、「文化」へ人々の視線を向ける役割を果たしたと言える。だからコピーライターの糸井重里が西武百貨店の広告に書いたコピーはそうした時代の側面を見事に象徴した。

「おいしい生活」（一九八二年）

この言葉に含まれた意味の解釈は様々に可能であり、時代の象徴としていまも語られる。さらにコピーと同様か、それ以上に、広告のヴィジュアルが、受け取る側に強い印象を与えた。「おいしい生活」という言葉が、お正月の書き初めのような紙に毛筆で描かれ、それを手にするウディ・アレンの姿が大きな意味を持った。こうして西武百貨店とセゾングループの「モノを売るのではなく、情報を売る」という理念は、ある「クラスの人々」に向けて大きな影響をもたらしたし、当時よく語られた「経済的に中流」以下の者らにもこうした「気分」は波及した。

皿一枚で生活が変わる情報社会における生活様式の広がりだ。

繰り返しになるが、八〇年代、経済的好況が上昇するのを誰もが実感していた。だから、アメリカの社会学者、エズラ・ヴォーゲルの著書『ジャパン・アズ・ナンバーワン』(一九七九年)は日本で七十万部を越えるベストセラーになった。六〇年代からの日本の経済成長を分析し、それを日本人の資質などに焦点をあて賛美する内容だが、いかに、おだてられていたのか、後日になって思い知らされる。けれど当時は、『ジャパン・アズ・ナンバーワン』だった。おだてられ浮かれていたこの国の、あるクラスの者らは、「情報」を消費しそうした生活を疑わなかった。

その一方で、幸福である者は常に破綻した社会に脅えていたし、同時にある種の美しさとしてノイジーな世界像に惹かれていた。だから、リドリー・スコットの『ブレードランナー』(一九八二年)の核戦争後の世界像を予兆し、豊かであることの裏返しとして荒廃した都市の姿に魅力を感じた。あの映像世界に漂う汚濁に充ち、混沌とした世界は、「おいしい生活」のイメージとはまったく異なっていた。来日したおり、リドリー・スコットは新宿歌舞伎町を歩いたという。風俗店が軒を連ね、毒々しい色づかいの看板が並ぶ、あのいかがわしさに充ちた歌舞伎町の姿に特別なエネルギーを感じた。それが『ブレードランナー』の世界像に結実する。「情報の消費」によって、「あなたの生活がこんなに美しくなりますよ」という考え方は、こうしたリアリズムを前にすれば、きわめて脆弱さを露呈する。

だから、誰かがあの皿を割ったのだ。

つまり、「モノではなく情報を売る」という高度情報化社会の脆弱さに気がついた者たちがいる。共時的にそれは起こった。ある若者向けの雑誌が「サブカルチャー最終戦争」という特集を組んだのは一九九一年だ。タイトルには「サブカルチャー」とあるが本文では一貫して「サブカル」と表記された。それまで一般的に言葉にされてきた、「サブカルチャー」が「サブカル」に変わった瞬間だ。それ以後、多くの者がそう口にした。単なる言葉の短縮ではない。中身に変化をもたらす現象だ。それがなにを意味していたか。「サブカルチャー」は、先行する「ハイカルチャー」を意識し、そこから逸脱することを意図していたし、「カウンターカルチャー」は先行する文化への、文字通り対抗としてあった。

けれど、「サブカル」にそのような考え方や感じ方はない。

先行するなんらかの文化現象とはまったく関係なく「サブカル」は存在した。たとえば「オタク」の存在がある。「オタク」はある時期まで、否定される対象だったし、いびつな趣味性は、「それを好きだと口にするとばかにされるのではないか」という、彼ら自身が感じる「うしろめたさ」があった。だから、趣味的な共感の連帯によって「オタク文化」は成立し、セゾンが生み出す文化とは対極の場所にいた。「おたく(=オタク)」にはそれがない。アニメや、コミケをはじめ、好きなものを、好きだと堂々と口にする傾向が九〇年代以降に生まれる。だからそれは、ひらがなの「おたく」から、カタカナの「オタク」へ表記を変え、表記の変化は、その意味内容も変えた。

おそらく、岡崎京子が描いたのは、「おいしい生活」の様々な側面ではなかったか。『東京ガールズブラボー』で八〇年代に生きる少女の姿を通じて、その時代の脆さと、可能性をコミカルなタッチで描いたが、『リバーズ・エッジ』は一転して、シリアスに九〇年代の気分を描く。二つの作品を比べてわかるのは、主人公のファッションが示す時代の典型的な変容だ。『東京ガールズブラボー』の金田サカエの、お洒落なブランドものや、輸入ものの古着を身につけた姿は、まさに「おいしい生活」の気分を感じさせる。『リバーズ・エッジ』の若草ハルナは、ジーンズにネルシャツ姿で、それは一九八九年にインディーズからアルバムを発表し、その後の短い期間、時代を象徴したバンド「ニルバーナ」のカート・コバーンを彷彿とさせる。

では、オタクはどのように九〇年代を迎えたのか。それを知ろうと興味を持つことは、ある一面で、村上隆を考えることになる。オタクの持っている感性を、異なる文脈で表現するとき、好むと好まざるとにかかわらず、村上の作品に新鮮な表現の方法を感じずにはいられない。あらためて考えれば、オタクの感性を起点に生み出される表現は、いみじくもオタクへの批評になる。だから村上隆が、ワンダーフェスティバルというフィギュアの祭典に出品したとき、それは自分たち(=オタクたち)とは異なると見抜かれた。作家はそんなことを意識していなかっただろう。自身も気がつかないうちにそれは批評になっていた。しかし、批評性が稀薄になることで村上の作品は新しい表現として認識されてゆく。こうした岡崎京子と村上隆の創作活動が語るのは、一方では、「八〇年代的なるものの終焉」であり、また一方に、「オタク的文化の跳躍」があった。単に風俗的な流行や現象ではない。八〇年代から、九〇年代における、日本のサブカルチャーの根底に存在した「身体観」の変化だ。つまり、『リバーズ・エッジ』の若草ハルナがネルシャツだったように、九〇年代、コンビニエンスストアーの前で高校生が地べたに座りこんでカップラーメンを食べている姿は、八〇年代の「おいしい生活」では考えられなかったし、オタクたちがプライドを持って自立するのは、八〇年代に否定された、ひらがなの「おたく」とは、決定的な変化を感じる。「バブル景気」の終焉とこれらは連動している。身体を取り巻く環境は変化した。「おいしい生活」がもたらした、たとえば、無理をしてでも、著名なデザイナーの手になるファッションを身に纏う身体は消えた。モノより情報が売られ、それを享受するような、イメージによって構築された身体はどこにも存在しない。

九〇年代、浅田彰との対談で岡崎京子は、八〇年代の可能性を肯定した。八〇年代を否定する言説が数多く出現した背景には、九〇年代のこの国の経済的凋落がある。かといって肯定すべきあの時代の側面を語ることは許されないのか。だから「おいしい生活」だけではない可能性があると、岡崎京子は語ったにちがいない。私もそれを支持するが、けっしてノスタルジーとしてではなく、あらためて現在を考える手がかりがそこにある。九〇年代以降から次第に拡大した混沌としてしみったれた世界像にはもううんざりしているからだ。

Post-Provoke と Post-Conpora
——一九七〇年代以降の日本写真を理解するために

清水 穣

写真のモダニズムとは、あるがままの世界の存在を信じることである。それは、一般的な通念や価値観に汚されていない（差異化されていない）世界であり、一般社会から見た「外部」である。しばしばそれは「天然の」「子供のように」「未分化で」「女性特有の」「しなやかな」「理性的思考を絶えずすり抜けていく」存在として形容される。言い換えれば、モダンな「外部」は、成人男性のディスクールに属している。一方に硬直化した男たちの既成の社会システムがあり、他方に女と子供と非・近代人による未分化で豊かな混沌があって、写真とは前者を後者のなかへ解き放つことだ、と。写真はあるがままの存在を露顕させるべきであり、従って無我で無作為、透明にして自然でなければならない。

一九六〇年代後半から七〇年代にかけて、写真というメディアは一つの断層を通過する。あのモダンな信仰が衰えていったのである。この時期、情報メディア社会の到来と共に、「あるがまま」「自然」は、最も強力なキャッチコピーとして資本に収奪されていった。「ナチュラル」で「ピュア」で「リアル」な「外部」とは、もはや新商品の別名に他ならない。同時代の日本においても、作家たちはこの断層に反応し、黄昏のモダニズム写真と、来たるべきポストモダン写真のあいだで様々な表現を繰り広げた。が、敗戦国日本が一定の情報メディア環境を備えた豊かな社会に到達するのは早くて八〇年代であって、そこには時差があった。七〇年代以降の日本写真を理解するとき、それが日本の未熟な社会から遊離した、早熟のポストモダン写真として始まったこと、つまり、写真家たちの表現が社会的現実に先行した事情を忘れてはならない。

メディア化した社会とは、メディア＝媒体の複雑なネットワークに絡め取られて、その外に出られないストレスを抱えた社会のことである。表象は、それが代理表象していたはずの現実との直接的な絆を喪失し、信じるに値しないものとみなされ、同時に、メディアの激流のなかでミニマムな橋頭堡を確保し、その上ですべてを考え直そうという態度が生じる。ここから、この時代の作家に共通する方向性を抽出できる。(1)表象批判、(2)日常性と私性、(3)直接性の希求、そして(4)メディアの検証である。作家たちの「様々な表現」には、大きく二つの流れがある。「最後のモダニスト」(上記1と3)と「コンポラ」(同2と4)の流れである。

最後のモダニスト

資本の流動が「外部」を飲み込んだ世界で、もはや「あるがまま」は写真に写せない、それこそは広告化した現代の大嘘であり、そんな「嘘写真」(荒木経惟)は耐え難い……と、モダニストが理解し、それでも信仰を捨てないときどうするか。

a. 否定性としてのリアル:リアルな「あるがままの世界」は、素朴実在論的にではなく、あくまで批判の極限に、否定的に立ち現れねばならない。偽の表象を徹底的に否定し、あるがままの世界の現前へ漸近する、と。「荒れ・ブレ・暈け」はそのような否定(無表象、無意味、無表現)の方法であった。強い光が目を眩ませるように、リアルな世界の現前は写真を焼き尽くす。何が写っているのか判らなければ判らないほど、その写真は「リアル」に近づく。このタイプは『Provoke』の写真家たち、とりわけ七〇年代初頭の中平卓馬と森山大道に代表されるだろう。

b. シアトリカルなタイプ:「あるがまま」の存在を嘘で汚さないため、つまり写真に嘘をつかせないために、写真家はあえて「これは嘘だ」と見せつける写真を撮る。シアトリカルなこのタイプの代表は荒木経惟である。荒木によるモダニズムの延命は九〇年代の日本写真界に奇妙なアナクロニズム(下記d)をもたらした。

c. 無人風景へのアブソープション:「あるがまま」の無垢を守るために、写真自体からあらゆる不純な意味内容を蒸発させる。同時代の「ニュー・トポグラフィクス」展(一九七五年)にも通じる、寡黙な無人風景の写真は、「あるがままの世界」を純粋な空虚として守っている。アブソープティヴなこのタイプの代表は杉本博司である。

d. 「女の子写真」:九〇年代に若い「天然」の女性作家が、日常のなかの「リアルな瞬間」を、いま・ここで写し留めたヘタウマ写真群は、最後のモダニスト世代の昔の夢を蘇えらせるノスタルジー、あるいはモダニズム写真のシミュラークルであった。代表的な写真家としてはヒロミックスや花代が挙げられる。

コンポラ

コンポラとは、一九六六年ニューヨークで開催された「コンテンポラリー・フォトグラファーズ――ある社会的風景へ向かって」展の影響下に生じた、日本の第一世代のポストモダン写真の総称である。プロヴォークがモダニズム写真をラディカルに消尽する道を選んだとすれば、コンポラはその前提（「あるがままの世界」）を脱構築する写真表現であり、同時代の現代美術と強く共鳴していた。

a．元祖「コンポラ」：コンポラを代表する写真家の牛腸茂雄は『日々』の営為における『自己と他者』を写真に撮り続けた（上記2と4、どちらも牛腸の写真集の題名）。この用語自体は七〇年代半ばには消え、牛腸の夭折（一九八三年）とともに、この系譜は一端途切れる。

b．シアトリカルなタイプ：七〇年代から八〇年代にかけて、森山、中平、荒木らの次世代の作家の中からプロヴォーク的なコンセプト（リアルへの漸近）を誇張して上演するタイプが現れる。post-provoke 世代を代表する北島敬三の初期作品は、プロヴォークの「CAMP」（この時代を代表するインディペンデント・ギャラリー）的表現なのである。

c．「コンセプト・フォト」：コンセプチュアルアートと関連しつつ、八〇年代にかけて写真の原理や写真史についてのメタ写真を展開した、主に美術系の作家による作品群。高松次郎、大辻清司、眞板雅文らの写真は近年再評価著しい。

d．デジタルなピクトリアリズム：八〇年代に入り、遅ればせながら日本は情報メディア社会に突入して、今更のように写真のモダニズムが問われ直した。リアリズムの影で等閑視されてきた日本のピクトリアリズムの歴史が再評価されるとともに、やなぎみわや森村泰昌など、最初のコンピュータによる画像加工が登場した時期でもあった。つまり、日本ではポストモダン写真（「あるがまま」のリアルに基づかない写真）＝デジタルな画像加工（コスプレ）という奇妙に限定的な思考が発生した。

e．九〇年代、「終わらない日常」と日本写真のグローバル化：八〇年代後半からのバブル景気が弾けた後、二十世紀の最後の十年は、通称「失われた十年」と呼ばれ、日本社会が強く閉塞感に囚われた（「終わらない日常」社会学者宮台真司による流行語）時期であった。しかしこの不況期においてこそ、日本の美術・写真界は真の意味でグローバル化し、現在にまで至っている。写真家たちの眼差しはあらためて身近な社会的現実に向けられ、同時期の牛腸茂雄の再評価と平行して、九〇年代版「コンポラ」写真が現れた。佐内正史、大森克己、ホンマタカシらに代表される日常スナップ写真（上記2）を、最初の post-conpora 写真と位置づけることが出来よう。また、「女の子写真」のフレームの外で、米田知子、川内倫子、野口里佳、木村友紀といった女性作家たちが活躍を始めたのもこの時期である。

さらにこの時期、森山大道は『Daido Hysteric』三部作（一九九三／九四／九七年）によって独自のポストモダン表現を確立し、二〇〇〇年代に入るとグローバルにブレイクする。それを契機に、七〇年代以降の日本写真史自体が、グローバルな再評価・新評価の対象になっていった。

f．ネオ・コンポラ：最後に、九〇年代後半より不可逆的に進展したデジタル写真技術の普及やネットワーク社会の新たな写真環境（SNSやインスタグラムなど）を踏まえて、前項dやeに、上記4の問題意識が追加され、元祖コンポラの隔世遺伝的な表現として二〇〇〇年代以降の post-conpora 写真が登場する。安村崇を代表とする、言わばネオ・コンポラ世代の新しいデジタル表現は目下進行中である。

生を与える——日本のサブカルチャーにおける静止画の潜勢力

星野 太

戦後の日本美術において、サブカルチャーはその大いなるイメージの源泉でありつづけてきた。そのイメージを戦略的に用いた村上隆（一九六二―）や会田誠（一九六五―）はもちろんのこと、彼らと同世代の奈良美智（一九五九―）やヤノベケンジ（一九六五―）、さらに彼らの後続世代に当たる作家たちにおいても、サブカルチャーとのつながりは明示的、もしくは暗示的に見て取ることができる。もちろんこのような現象は、西欧や北米、さらには日本と時を同じくして近代化を迎えたアジアの諸国でも同じく見られる現象ではあるだろう。しかし戦後日本、とりわけ一九六〇年代以降に生を享けた作家たちにとって、サブカルチャーは「美術」を含むハイカルチャーに対するカウンターにとどまらず（一般的にサブカルチャーとはそのような領域を指す）、すでに所与の文化資源として、言いかえればみずからの周囲に「風景」として存在する対象であった。

ここで、「日本のサブカルチャー」という言葉によって念頭に置いているのは、マンガ、アニメ、ヴィデオゲームという、日本において独自の進化を果たしたいくつかのメディアのことである。なるほど、これらのメディアそのものは必ずしも日本で「発明された」ものではなく、そこには欧米のカートゥーン／バンド・デシネやディズニーのアニメーションといった源流が存在している（そして、日本において発展したRPGゲームの世界観もまた、西洋の神話やファンタジーから多くの着想を得ている）。にもかかわらず、これらが日本において独自の進化を遂げたと言える理由は、前述のマンガ、アニメ、ヴィデオゲームが、商業的な、大衆向けのメディアであったことに起因するさまざまな条件、ないし制約を伴っていたからである。以下に述べるように、それらは定型的なパターンの組み合わせによる「圧縮」の契機と、結果的にそこから生じたファンコミュニティの爆発的な「拡散」の契機を併せ持った、稀有なメディアであった。

定型的なパターンの組み合わせによる「圧縮」と、ファンコミュニティを媒介としたその爆発的な「拡散」——その中核をなす要素として挙げられるのが、日本のマンガやアニメにおける「キャラ」という概念である。キャラクター（character）の短縮形に相当するこの言葉は、すでに多くの論者が指摘するように、その語源であるキャラクターとは似て非なるものだ。(1)

四方田犬彦によれば、（1）無数のコマ（＝絵）の連続からなるマンガやアニメにおいて、Xという登場人物の顔は、決して同じ顔として描かれることはない。（2）しかし同時に、そのXの同一性さえ確保されるならば、その登場人物の顔は無限に描かれることが可能である。(2) この同一性を支えるために要請されたのが、いわゆるキャラの造形である。これは、たとえば実写映画において、登場人物の同一性が同じ俳優の顔によって担われているのとは際立って対照的だと言えるだろう。マンガやアニメにおけるキャラとは、そうした表現上の必要性から、作品の登場人物に安定した同一性を付与するために発明された形象にほかならない。具体的に言えば、登場人物の特徴を髪の色や形、目の大きさや輪郭、さらには眼鏡やアクセサリーの有無といったいくつかの大まかなパターンに還元し、その組み合わせによってキャラクターの特徴を形づくる特異な文法がそれである。結果、日本のマンガやアニメの登場人物の外見的な特徴は、リアリズム的な観点から見ればしばしば荒唐無稽な特徴を呈することになった。巨大な眼球や異常に細いアゴ、さらには緑色やピンク色の髪の少女が同じ画面に収まる様子は、むろん写実的というにはほど遠い。しかしマンガやアニメの世界の内部で、こうした身体的特徴が異常なものとみなされることはない。むしろ、無数の描画の連なりからなるマンガやアニメというメディアにおいて、こうした法外な容貌は、各キャラクターの同一性を保証するための表現文法から必然的に生じてきたものなのである。

一九九〇年代から二〇〇〇年代にかけての村上、会田、奈良、ヤノべらの海外における評価は——少なくとも部分的には——こうした視差（parallax）のものでなされたと言ってよいだろう。日本のマンガやアニメがほぼ時間差なく英語や仏語に翻訳される現在、上に述べた人物造形上の技法はすでに日本国外でも広く知られている。しかし、いまだその土壌がなかった前世紀末において、彼らの作品における「キャラ」的な人物が、それまでの絵画とは異なるアトリビュートを伴った人物像として受容されたことは確かだろう。

以上の「キャラ」の例に加えて、戦後日本のマンガやアニメが置かれていた物質的な条件について、もう少し触れておきたい。先に述べたように、日本のマンガやアニメは商業的な、大衆向けのメディアであったことにより、「芸術」

的な観点から見れば理不尽なまでの制約を伴っていた。そのひとつが、リミテッド・アニメーションと呼ばれる、セル画の枚数を節約したTVアニメである。

リミテッド・アニメーションとは、一枚の静止画をヴォイス・オーヴァーとともに用いたり、画面中の人物のパーツ(目や口など)のみを動かしたりすることにより、制作にかかる予算や時間を大幅に削減したアニメーションをいう。これは、手塚治虫(一九二八―一九八九)が『鉄腕アトム』のTVアニメにおいて導入し、その後もTV放映を前提とする日本の商業アニメにおいて、独自の表現的な進化を遂げたものとして知られている。放映の中で何度も繰り返される主要人物の定型的なポーズや、静止画を補完するための文学的なナレーションなどがその顕著な例である。海外でも広く知られるスタジオ・ジブリのフル・アニメーションは、日本のアニメの中ではむしろ例外的であり、その多くが静止画を有効に活用したアニメーションであったという事実は重要である。トーマス・ラマールが指摘するように、宮崎駿をはじめ、アニメーションと日本古来のアニミズムを結びつけながら自作を論じる作家は少なくない(3)。しかし、伝統的にリミテッド・アニメーションとして制作されてきた日本のアニメには、虚構の人物に生を与える(animate)うえで、静止した、生気のない(inanimate)表現を用いるという逆説的な表現文法が見て取れるのである。

キャラにせよ、リミテッド・アニメーションにせよ、商業的なメディアとしてのマンガやアニメにおいては、その制約を逆手にとった類型やパターンのさまざまな圧縮が生じ、結果的にそれが若年世代を中心とする、キャラのイメージを媒介としたコミュニケーションへと拡散していった。マンガやアニメ作品の「二次創作」という、大衆化したシミュレーショニズムがそのもっとも顕著な例だろう。インターネット上に溢れるファンたちのさまざまな二次創作は、すでにオリジナルとコピーという単純な二項対立を超えて、自律的に増殖するユーザー生成コンテンツ(UGC)の典型例となっている。

そして言うまでもなく、その水脈のひとつが日本の戦後美術という領域にも流れ込んでいることは確かである。先に挙げた村上、会田、奈良、ヤノベらは、マンガやアニメにおける独自の表現文法を、いちはやく美術に持ち込んだ世代の作家である。彼らの制作意図がそれぞれ異なっていたことは確かであるにせよ、商業的なマンガやアニメから生まれた人物造形――それは、レッシングが『ラオコーン』において称揚したような決定的瞬間の把握とは対極にある――は、従来の美術における慣習的なコードからすれば紛れもない異物として機能するものであった。さまざまな制約の上に誕生した日本的「キャラ」の表象は、静止した人物に生を付与するための新たなイコノロジーの可能性を美術にもたらしたのである。

註

（1）伊藤剛『テヅカ・イズ・デッド――ひらかれたマンガ表現論へ』NTT出版、二〇〇五年。
（2）四方田犬彦『漫画原論』筑摩書房、一九九四年。
（3）トーマス・ラマール（藤木秀朗監訳、大﨑晴美訳）『アニメ・マシーン』名古屋大学出版会、二〇一三年。

日本のパフォーマンス――「反体制文化」と大衆文化のあいだで

エマニュエル・ドゥ・モンガゾン

日本の芸術家たちが二十世紀の主流な国際的前衛運動に参加したことは、重要な知的・文化的交流の一環をなしており、彼らは特に五〇年代の北米の芸術運動に共鳴していた。戦後の時代は、例えば具体美術協会、実験工房[1]（一九五一―五八年）、大衆ジャンルや大衆文化の超克を目指した文学・芸術集団の記録芸術の会など、領域横断的な芸術家の集団が増加したという点において精彩を放っている。

緊迫した社会政治的文脈にあった行動主義の一九六〇年代は転換期をなしている。この時代は、日本全土、特に公共空間において、ネオ・ダダの芸術家たちとその衝撃的な抗議パフォーマンス、ハイレッド・センター、関西の集団ザ・プレイをはじめとした個人的・集団的な行為を生み出している。よく知られている通り、東京では草月アートセンター（SAC）を中心として芸術家、知識人のサークルが結成され、前衛芸術の主張の発信地、インターメディアの名で知られる領域横断的な思索の集合地点となった。一九五八年から一九七一年までの間に、実験的なアプローチがこの場所で推し進められ、芸術家、音楽家、デザイナー、批評家、作家、パフォーマーらが共通する実践を巡って集合した。草月アートセンターは生活の場、日本のフルクサス運動の表現の場、飯村隆彦が主導する実験映画上映の場、また一柳慧、ジョン・ケージ、デイヴィッド・チューダー、マース・カニンガムらの作品を巡って実験音楽のパフォーマンスやコンサートが開催される神話的な場であった。同時期には、知的で実験的な性質を帯びた小劇場の最初の世代が登場している[2]。これは時代のイニシアティヴに強い影響を受けて、西欧のリアリズムを輸入した新劇という確立されたジャンルに対抗する形で打ち立てられた。

このダイナミズムは、大阪万博に参加した数多くの芸術家にとって[3]、さらには反万博の非常に過激な運動（万博破壊活動）に参加した芸術家にとっても、制作の重要な基盤であった。六四〇〇万人が来場した大阪万博は、飛躍的発展を遂げていた大衆文化と実験的アプローチが初めて出会うための呼び水となった。この「万博の子」[4]を産んだ「祭りのつむじ風」は美術業界に活気をもたらし、周辺的な存在にも影響が及んだ。この美術業界の活気は、セゾンが西武劇場（後のPARCO劇場）をオープンしたことにより明確な形をとった。企業グループのセゾンは、一九七三年以降、大衆と流行の商業化を結びつけたポップカルチャー——消費文化を生み出す装置である——が東京に登場するにあたって主要な役割を演じており、革新的な音楽をもたらしたラジオ局J-waveの親会社でもある。五〇〇席ほどの小規模なPARCO劇場は、瞬く間に「反体制文化」と飛躍的発展を遂げる商業文化との関係、すなわち、この二つの文化が相互に影響を与えあって成長するという奇妙な関係の象徴となった。この場所は、大阪万博がそうであったように、都市風景の全体で起こっていること——「反消費主義」の世代の交わりと、非常に洗練された芸術家、音楽家、デザイナーらが考案した製品の登場——の元型《アルケティップ》として作用したのである。

一九八〇年代以降のバブル経済時代全体を通じて、大手企業グループはPARCOのイニシアティヴに追随した。青山のシックな地区にスパイラルホール（一九八五年）が、渋谷にBunkamura（一九八九年）がオープンし、これによって東京の中心地は強い影響力をもつ、芸術的活気のある場となった。当時の多産な創作活動が公私の様々な空間に広まり、大衆文化とアングラ文化の両方の美学を汲み取った。瞬時に海外からの反応があったが、そのことはポピュラー音楽と実験音楽の間に位置する音楽グループ、YMO（イエロー・マジック・オーケストラ、一九七八—八四年）の成功が物語っている。一九八一年以降、テクノポップの音と美学は日本の国境を越えて散らばり、さらに日本社会の全体に拡散され、若者と都市文化が特権化されたこの時代の真の象徴となった。この文脈で、多様で自由な演劇形式——渋谷では寺山修司が劇団員と共に市街劇を展開し、また小劇場は次々と生まれていた——が登場した。関西では、ダムタイプやイデアル・コピーといった集団のような、演出に重点を置く、パフォーマンスと演劇との中間点のイニシアティヴが生み出された。一九八五年、著名な大衆演劇、宝塚歌劇団の勢力圏にある大阪では、現代の卓越した観察者である森村泰昌がファン・ゴッホに扮した自画像で美術史の連作に取りかかった。

一九九一年から二〇〇六年までは、バブル経済の崩壊に続く経済的後退の時代であり、「失われた二十年」と呼ばれている。このような情勢の中で、芸術実践は集団と個人の位置を捉えなおすことを目指した。ダムタイプはラディカルな政治参加型のパフォーマンスを行い、共同体のための行動主義《アクティヴィスム》とも呼応して、一九九五年にリーダーの古橋悌二がエイズで死去した後に神話的な集団となった。その後は、ビデオ、映画、パフォーマンスから出発した京都のグループ、キュピキュピが一九九六年に活動を始めている。

阪神・淡路大震災の後には島袋道浩（《人間性回復のチャンス》、一九九五年）や一九九三年以降ミニチュアの持ち運び可能なギャラリーのプロジェクト（なすび画廊）を展開する小沢剛のように、芸術家の社会的現実に新しい価値を与える必要性を表現する作家が多い。自らがよって立つ場所をもたない前衛の熱狂からは遠く離れたこの時代には、地方分権政策の枠内で劇場が続々と生まれ（十年間で千館ほどの劇場とコンサートホールが開場した）、劇場のトップには当時豊富な財力を誇っていた演劇の後ろだてとなる人々が任命された。バブル経済の財政下で建設されたものの完全な経済的後退のさなかに開場したこれらの新しい空間は、大規模な製作を行い、世界的に名の知れた劇団やダンスカンパニー（マース・カニンガム、ピナ・バウシュ、フィリップ・ドゥクフレ、ピーター・ブルック等）を迎え入れた。こうした大規模な活動と同時に、商業の世界とアングラの世界が二極化する脱呪術化のムードが生まれた。

小劇場の分野では、平田オリザによって具現化された静かな演劇が登場した。これは純化された上演装置を背景に日常会話を演出する、現実的なものについての演劇である。

コンテンポラリーダンスは、勅使川原三郎や伊藤キムといったラディカルで特異な人々によって率いられ、日常の中に潜む非日常的なものをテーマとする、アイロニーに彩られたダンスを考案した。

音楽の分野では、フィードバックと呼ばれる音の増幅と歪みのテクノロジーに関連した〈ノイズ〉音楽と実験的な電子音楽が、生《ライブ》の音楽向けの小空間、ライブハウスで重要な位置を占め、ダダイストや雑音派《ブリュテイスト》から明確な影響を受けた灰野敬二やメルツバウ（秋田昌美）といった作家らが活躍した。地下にあることが多い小規模な音楽シーンが増加したのは、ラジオによる楽曲の普及が拡大し、レコード店が増加したためである。この〈ノイズ〉音楽のシーンがパフォーマティヴなシーン、特に「インダストリアル」音楽の勢力と出会ったのはごく自然なことであった。より広い視点で見れば、いわゆるエレクトロニクスの分野では、キヤノン・アートラボ（企業キヤノンの芸術研究のラボラトリー）が様々な探求を行い、三上晴子作品のような今や神話となったラディカルで実験的な作品を特筆すべき規模で製作することになる。強大な大衆文化に対するこうしたオルタナティヴな潮流によって、J-popやアニメ映画といった産物とは明確に区別される作品が国際的シーンに認知された。これらの潮流は日本文化におけるテクノロジーの存在と過剰な発展に呼応しているものの、かわいい造形、女性美の規範、性のフェティシズムからは遠く離れた場所で生まれている。したがって、この時代の特徴は、テクノロジー批判と人間機械論の崇拝からもたらされた新しい反体制文化の登場にあると言える。日常生活に応用されるテクノロジーによって強化された社会不安と深刻なアイデンティティ・クライシスを背景にかかえながらも、経済活動は二〇〇六年に勢いを取り戻した。若者たちは、作家の平野啓一郎が分析した「分人」という概念に自らの姿を見いだした。個人は複数の顔を持ち、多様な社会に相対しており、その背景には雇用不安や価値の崩壊があった。

それでもなお、好調な経済活動は文化的イニシアティヴを生み、日本が世界との対話に参画しようとする意志が示された。TPAM（芸術見本市）、アートフェア東京、多くのビエンナーレ、トリエンナーレ、芸術祭（フェスティバル／トーキョー、京都国際舞台芸術祭KEX）が開始され、数多くの海外の芸術家が来日した。社会構造は密になり、芸術家は文化のルーツに新しい視線を向けることによって、共同体との刷新された関係、孤立から抜け出す欲望を表現した。一九七〇年代生まれの二人の作家により作り出された演劇が登場した――三浦大輔は現実と虚構の境界を曖昧にすることを目指した準ドキュメンタリー的で簡素な演劇への道を拓き、岡田利規は個人を超えた政治的・社会的文脈を背景とし、虚構のディストピアを描く演劇文体《エクリチュール》を生み出した。このアイデンティティへの問いは、例えば山川冬樹、あるいは束芋、やなぎみわといった多くの女性芸術家のジャンル横断的な仕事における近年のパフォーマティヴな展開に見出される。やなぎみわは、少しずつ写真の枠組みから踏み出て、二〇一四年には美しい立体的効果のパフォーマンスが入った持ち運び可能な独特の舞台装置を考案したが、これは現代日本社会の被差別部落出身者、中上健次文学の三部作にインスピレーションを受けている。

二〇一一年の津波と、それに続く福島の災厄は、明確な主張をもった芸術実践に反響し、世界に強い衝撃を与えた。文学・演劇・モード・音楽……の潮流は、高度に発達したSNSと私的な証言との狭間に生まれる共同体の流れへと変化し、政治的意識が刷新され、行為《アクション》によって新しい芸術形式が生み出された。そのことは、インスタレーションと意見表明とのちょうど中間に位置しているChim↑Pom の仕事が裏付けている。十一年の間ずっと、Chim↑Pom は時おり賛否両論の評価を呼んだが、それは慣習を打ち破って社会的な問題に言及し、行為によって芸術形式を生み出したからである。部外者がアクセスすることのできない福島の立入禁止区域に設置された関係的な装置《Don't Follow the Wind》から、歌舞伎町の解体寸前の建物内で行われた最近の展示《また明日も観てくれるかな？ So See You Again Tomorrow, Too ?》[5]まで、この集団の芸術行為は今日の日本社会、特にポスト福島の時代に応答しており、また、従来から存在していたものの沈黙の中にあった行為主義《アクショニスム》と行動主義への回帰を示している。個人的あるいは集団的行為を組織化する形式と集団の増加が見てとれるが、それは新しい行動主義的意識が、核の新人世時代のあらゆる芸術実践に影響を与えているからである。[6]

「十の夕べ」

ポンピドゥー・センター・メッツで開催予定のイベントのタイトル――「十の夕べ」――は、一九六六年十月二十三日にニューヨークでビリー・クルーヴァーが企画した「九つの夕べ――演劇とエンジニアリング」というタイトルの有名な前衛的イベントを参照している。ポンピドゥー・センターのイベントは、「日本が西洋の近代性《モデルニテ》のアンチテーゼとして構築された元となった、アメリカとの複雑な歴史的関係[7]」と、その文化・芸術分野への影響というテーマを扱っている。また、この時代の日米のダイナミックな交流によって、「クロス・トーク／インターメディア」と呼ばれる類似したイベントが一九六九年に東京で開催された。このイベントでは、共同制作者、産業、サウンド・エンジニア、芸術家、構造、組織が作り出す非常に大きなネットワークを主題として、代々木体育館に約一万人の観客が集まり、一九七〇年の大阪万博を成功に導いた革新的な美術の展開を予告するものとなった。またこのイベントは、日本のアイデンティティに関する重要な問いの象徴ともなった。

この時代を、そして今日にも通用する問いを参照している「十の夕べ」は、二〇一七年十月から二〇一八年三月まで月別に連続して展開するプログラムとして構想されている。それぞれのイベントは、芸術家や芸術集団と、芸術的・文化的遺産の複数性との関係性にスポットライトを当てている。様々な世代の芸術家の多様性を表出させることで、現代に対するアプローチの多様性を体験することができる。この多様性をまとめ上げているのは、以下に挙げる二本の導きの糸である。すなわち、国際的前衛運動の生きた記憶をたよりに、絶え間ない切断の時代の濃密で激しいうねりを横断し、それに反応すること、そして独自で際立った日本のアイデンティティを形成すること、である。

（訳・桑名真吾）

註

（1）十四名の芸術家、音楽家、振付師、デザイナー、照明家、詩人からなるこの集団は、一九五一年に発足し、一九五八年まで活動をつづけた。ジョン・ケージ、マーサ・グレアム、アレクサンダー・カルダー、イサム・ノグチから影響をうけた実験工房は、ジャンル横断的な作品の観念――バレエ、リサイタル、芸術の知覚に関わるその他の経験――を巡って組織された。

（2）一九六〇年代の前衛演劇の第一世代には、寺山修司（一九三五―八三年）、鈴木忠志（一九三九年―）、蜷川幸雄（一九三五―二〇一六年）、唐十郎（一九四〇年―）がいる。

（3）Julian Ross, « Site and Specificty in Japanese Expanded Cinema: Intermedia and its Development in the late-60's », *Décadrage*, n.21-22, hiver 2012.

（4）Yoko Hayashi, « Les enfants de l'Exposition universelle d'Osaka : la génération symbole de la scène artistique japonaise des années 1990 », in Éric Mézil (dir.), *Donai yanen! = Et maintenant : la création contemporaine au Japon*, cat. exp., Paris, Ensba, 1998.

（5）《また明日も観てくれるかな？ So See You Again Tomorrow, Too ?》は、様々な形式の行動主義的イベントであり、二〇一六年の秋、世代に強い影響力をもつ様々な分野のパフォーマーや音楽家を呼び集めた。このイベントの告知はSNS上のみで行われ、プロジェクトの製作にあたっては自律した予算が確保されていた。

（6）二〇一七年五月二十七日にコペンハーゲンのアート・スペースX and Beyondで行われたシンポジウム« Activism and Art in the Era of Fukushima »での窪田研二の発言を参照のこと。

（7）David Novak, *Japanoise: Music at the Edge of Circulation*, Duke University Press, 2013, p.24.（デヴィッド・ノヴァック（若尾裕・落晃子訳）『ジャパノイズ――サーキュレーション終端の音楽』水声社、二〇一九年、三七頁。原文に合わせ訳文を変えてある）

作品リスト

A　奇妙なオブジェ・身体——ポストヒューマン …………… Strange Object, Post-human Body

赤瀬川原平（一九三七—二〇一四年）《風》、一九六三／一九八五年、67 × 35 × 28 cm、扇風機・紙・紐、東京都現代美術館　©Centre Pompidou-Metz / Photo Jacqueline Trichard / 2017 / Exposition Japan-orama (pp. 60-61)

石原友明（一九五九年—）《I. S. M. (H)》、一九八九年、115 × 110 × 180 cm、発泡スチロール・牛革、豊田市美術館、画像提供：豊田市美術館 (p. 65)

大友克洋（一九五四年—）《AKIRA》、一九八二—一九九〇年、ボード（計二一枚）、講談社 (p.68)

大友克洋《GENGA exhibition catalogue》、二〇一二年、ボード（計三枚）、講談社

大野一雄（一九〇六—二〇一〇年）《O氏の肖像》、《O氏のマンダラ》、《O氏の死者の書》、《ラ・アルヘンチーナ頌》（一九七七年初演）より抜粋、二〇一七年、映像・音声、撮影：ビデオインフォメーションセンター、写真：塚本博昭、大野一雄舞踏研究所・NPO法人ダンスアーカイヴ構想、画像提供：大野一雄舞踏研究所・NPO法人ダンスアーカイヴ構想 (p.62)

奥村靫正（一九四七年—）《ロゴ版下》、一九八〇年、25.5 × 30.5 cm、TSTJ Inc.

奥村靫正《Yellow Magic Orchestra World Tour'80 From TOKIO To TOKYO 関連CDジャケット》、一九八〇年、12.7 × 14.2 cm、TSTJ Inc.

奥村靫正《Yellow Magic Orchestra World Tour'80 From TOKIO To TOKYO パンフレット》、一九八〇年、24.8 × 21 cm、TSTJ Inc.

奥村靫正《BGMジャケット》、一九八一年、11 × 15.5 cm、TSTJ Inc.

奥村靫正《Yellow Magic Orchestra World Tour'80 From TOKIO To TOKYO ステッカー》、一九八一年、11.7 × 16.6 cm、TSTJ Inc.

奥村靫正《Yellow Magic Orchestra World Tour'80 From TOKIO To TOKYO フライヤー》、一九八一年、14.8 × 21 cm、TSTJ Inc.

奥村靫正《YMO入場券》、一九八一年、17 × 6.5 cm、TSTJ Inc.

奥村靫正《LDKスタジオ》、一九八二年、各24.7 × 21 cm、TSTJ Inc.

奥村靫正《S・F・Xオリジナルポスター》、一九八四年、72.8 × 51.5 cm、TSTJ Inc.

奥村靫正《S・F・X版下A》、一九八四年、30.3 × 25.3 cm、TSTJ Inc.

奥村靫正《S・F・X版下B》、一九八四年、30.4 × 25.2 cm、TSTJ Inc.

奥村靫正《S・F・X版下C》、一九八四年、30.3 × 25.3 cm、TSTJ

Inc.

奥村靫正《S・F・X版下D》、一九八四年、35.5 × 29.7 cm、TSTJ Inc.

奥村靫正《S・F・X版下E》、一九八四年、30 × 25.3 cm、TSTJ Inc.

奥村靫正《S・F・X版下F》、一九八四年、30.4 × 25.5 cm、TSTJ Inc.

奥村靫正《S・F・X版下G》、一九八四年、22.2 × 30.5 cm、TSTJ Inc.

奥村靫正《ウィンター・ライヴ'81 ステージ模型》、二〇一三年、テーブル（16 × 100 × 62 cm）、ステージ（46.6 × 100 × 62 cm）、TSTJ Inc.

小谷元彦（一九七二年―）《ダブル・エッジド・オヴ・ソウト（ドレス2）》、一九九七年、ドレス（172 × 67 × 3 cm）・毛髪、金沢21世紀美術館

小谷元彦《ダブル・エッジド・オヴ・ソウト（ドレス2）》、一九九七年、写真（23.5 × 18.5 cm）・発色現像方式印画、金沢21世紀美術館

小谷元彦《ファントム・リム》、一九九七年、各148 × 111 × 2.7 cm（五点）、発色現像方式印画・アクリルフレーム、金沢21世紀美術館、画像提供：金沢21世紀美術館 ©ODANI Motohiko (p. 67)

小谷元彦《ロンパース》、二〇〇三年、映像（カラー、音声）、二分五十二秒、音楽：PIRAMI、金沢21世紀美術館

工藤哲巳（一九三五―一九九〇年）《あなたの肖像――繭の中のさなぎ》、一九六七年、161 × 87 × 78 cm、プラスチック加工した綿・ポリエステル樹脂・ブラックライト、Centre Pompidou, Musée national d'art moderne（パリ）

工藤哲巳《若い世代への賛歌――繭は開く――》、一九六八年、120 × 100 × 150 cm、乳母車・ポリエステル・ストロボ・テープレコーダー、東京都現代美術館、画像提供：東京都現代美術館 ©ADAGP, Paris & JASPER, Tokyo. 2020 E3778 (p. 64)

工藤哲巳《危機の中の芸術家の肖像》、一九七五年、29 × 45 × 32 cm、回し車・水槽・冷凍庫の温度計・プラスチック製コップ・金属針・羊毛編み・合成樹脂成形品・タバコ他、Centre national des arts plastiques（パリ）

コム・デ・ギャルソン（一九六九年―、川久保玲：一九四二年―）《Comme des Garçons》、一九八二年、60 × 60 cm、ゼラチン・シルバー・プリント（露光印刷）、写真撮影：ピーター・リンドバーグ、作家蔵 ©Centre Pompidou-Metz / Photo Jacqueline Trichard / 2017 / Exposition Japanorama (pp. 60-61)

コム・デ・ギャルソン 秋冬コレクション二〇〇一―二〇〇二より《アンサンブル》、二〇〇一年、Mode Museum Provincie Antwerpen-Momu（アントワープ）

コム・デ・ギャルソン 秋冬コレクション二〇〇一―二〇〇二より《靴》、二〇〇一年、Mode Museum Provincie Antwerpen-Momu（アントワープ）

コム・デ・ギャルソン 春夏コレクション二〇一二―二〇一三より《ローブ》、二〇一二年、Isolde Pringiers（ブリュッセル）

コム・デ・ギャルソン 春夏コレクション二〇一二―二〇一三より《ローブ―マント》、二〇一二年、Isolde Pringiers（ブリュッセル）

嶋本昭三（一九二八―二〇一三年）《作品（穴）》、一九五〇年頃、194 × 130.6 cm、白ペンキ・鉛筆・新聞紙、東京都現代美術館、©Centre Pompidou-Metz / Photo Jacqueline Trichard / 2017 / Exposition Japanorama (pp. 60-61)

鋤田正義（一九三八年―）《Yellow Magic Orchestra》、一九七九年、発色現像方式印画、作家蔵

鋤田正義《Yellow Magic Orchestra》、一九七九年、発色現像方式印画、作家蔵

鋤田正義《Yellow Magic Orchestra》、一九七九年、発色現像方式印画、作家蔵

鋤田正義《Yellow Magic Orchestra》、一九七九年、発色現像方式印画、作家蔵

鋤田正義《Yellow Magic Orchestra: Posters. London》、一九七九年、発色現像方式印画、作家蔵

鋤田正義《Yellow Magic Orchestra》、一九八〇年、発色現像方式印画、作家蔵

鋤田正義《Yellow Magic Orchestra》、一九八〇年、発色現像方式印画、作家蔵

鋤田正義《Yellow Magic Orchestra》、一九八〇年、発色現像方式印画、作家蔵

スプツニ子!（一九八五年—）《生理マシーン、タカシの場合。》、二〇一〇年、映像（カラー、音声）、三分二十四秒、作家蔵、画像提供：作家 (p. 67)

スプツニ子!《ムーン・ウォーク・マシン　セレナの一歩》、二〇一三年、映像（カラー、音声）、四分三十秒、作家蔵

田中敦子（一九三二—二〇〇五年）《作品（ベル）》、一九五五／一九八一年、ベル・ノッチ、東京都現代美術館

田中敦子《ベル設計図》、一九五五年、39.7 × 27.5 cm、インク・紙・木、東京都現代美術館

田中敦子《電気服》、一九五六／一九九九年、165 × 90 × 90 cm、電球・管球・フェルト・電気ケーブル・接着テープ・木材・分電盤・ブレーカー・調光スイッチ、Centre Pompidou, Musée national d'art moderne（パリ）©Centre Pompidou-Metz / Photo Jacqueline Trichard / 2017 / Exposition Japanorama (p. 63)

ダムタイプ（一九八四年—）《ダムタイプ・アーカイヴ》、二〇一七年、書籍、作家蔵

ダムタイプ《Pleasure Life》（一九八八年）、《pH》（一九九〇年）、《S/N》（一九九四年）、《OR》（一九九七年）、《Memorandum》（一九九九年）、《Voyage》（二〇〇二年）から抜粋、二〇一七年、映像（カラー、音声）、十分、作家蔵、画像提供：作家 (p. 69)

ダムタイプ《Glass Table》、二〇一七年、71.5 × 213.5 × 74.2 cm、ガラステーブル・映像（カラー、音声）、作家蔵

中川幸夫（一九一八—二〇一二年）《花坊主》、一九七三年、180.2 × 130 × 2.5 cm、発色現像方式印画（カーネーション九〇〇本・自作ガラス器）、撮影：牧直視、Fondation Cartier pour l'art contemporain（パリ）©YUKIO NAKAGAWA (p. 64)

中川幸夫《聖なる書》、一九九四年（プリント：二〇〇四年）、94.7 × 120 cm（イメージ）、発色現像方式印画（カーネーション・ガラス）、金沢21世紀美術館蔵

中西夏之（一九三五—二〇一六年）《洗濯バサミは攪拌行動を主張する》、一九六三年、左右六点・各116.5 × 91 cm、中央41 × 31.5 cm、うち四点を展示、紐・洗濯バサミ・カンヴァス、東京都現代美術館、画像提供：東京都現代美術館 (p. 64)

中原浩大（一九六一年—）《ビリジアンアダプター+コウダイノモルフォII》、一九八九年、サイズ可変、毛糸・合板、豊田市美術館蔵、画像提供：豊田市美術館 (p. 66)

土方巽（一九二八—一九八六年）《土方巽と日本人　肉体の叛乱》、一九六八年、映像（モノクロ、音声）、映像撮影：中村宏、十三分、慶應義塾大学アート・センター／土方巽アーカイヴ／NPO法人舞踏創造資源

土方巽《土方巽と日本人　肉体の叛乱》、一九六八年、16.3 × 24.7 cm、ゼラチン・シルバー・プリント（露光印刷）、写真撮影：鳥居良禅、慶應義塾大学アート・センター／土方巽アーカイヴ／NPO法人舞踏創造資源、画像提供：慶應義塾大学アート・センター／土方巽アーカイヴ／NPO法人舞踏創造資源 (p. 62)

平田実（一九三〇—二〇一八年）《「千円札拡大図」赤瀬川原平作》、一九六三／二〇一七年、33.5 × 22.2 cm（イメージ）、35.7 × 27.8 cm（ペーパー）、ゼラチン・シルバー・プリント、HMアーカイヴ Courtesy of Taka Ishii Gallery Photography / Film

平田実《BE CLEAN! 首都圏清掃整理促進運動　ハイレッド・センター》、一九六四／二〇一七年、22.2 × 33.5 cm（イメージ）、27.8 × 35.7 cm（ペーパー）、ゼラチン・シルバー・プリント、HMアーカイヴ

Courtesy of Taka Ishii Gallery Photography / Film（p. 63）

平田実《BE CLEAN! 首都圏清掃整理促進運動　ハイレッド・センター》、一九六四／二〇一七年、33.5 × 22.2 cm（イメージ）、35.7 × 27.8 cm（ペーパー）、ゼラチン・シルバー・プリント、HMアーカイヴ　Courtesy of Taka Ishii Gallery Photography / Film

細江英公（一九三三年―）《鎌鼬》#17、一九六五／二〇一〇年頃、30.4 × 45.1 cm（イメージ）、40.5 × 50.4 cm（ペーパー）、ゼラチン・シルバー・プリント、作家蔵　Courtesy of Taka Ishii Gallery Photography / Film（p. 62）

細江英公《鎌鼬》#8、一九六五／二〇一〇年頃、45 × 32.4 cm（イメージ）、50.4 × 40.4 cm（ペーパー）、ゼラチン・シルバー・プリント、作家蔵　Courtesy of Taka Ishii Gallery Photography / Film

細江英公《写真集『鎌鼬』より未発表写真、筑波山麓にて》、一九六八／二〇一七年、30.2 × 45.2 cm（イメージ）、40.3 × 50.3 cm（ペーパー）、ゼラチン・シルバー・プリント、作家蔵　Courtesy of Taka Ishii Gallery Photography / Film

毛利悠子（一九八〇年―）《parade》、二〇一一―二〇一七年、サイズ可変、ミクストメディア、Centre Pompidou, Musée national d'art moderne（パリ）©Centre Pompidou-Metz / Photo Jacqueline Trichard / 2017 / Exposition Japanorama（p. 69）

森万里子（一九六七年―）《巫女の祈り》、一九九六年、映像（カラー、音声）、五分、東京都現代美術館、画像提供：作家（p. 65）

森村泰昌（一九五一年―）《なにものかへのレクイエム（創造の劇場／マルセル・デュシャンとしての私［ジュリアン・ワッサー氏撮影の写真に基づく］）》、二〇一〇年、150 × 187.5 cm、発色現像方式印画、Galeria Juana de Aizpuru（マドリッド）、画像提供：Galeria Juana de Aizpuru（p. 65）

ライゾマティクス（二〇〇六年―）Perfume パフォーマンス映像（カンヌライオンズ 国際クリエイティヴィティ・フェスティバル）、二〇一三年、映像（カラー、音声）、作家蔵、画像提供：作家（p. 68）

ライゾマティクス《chains》、二〇一六年、映像（カラー、音声）、作家蔵

YMO（一九七八年―）《イエロー・マジック・オーケストラ》、一九七九年、31.4 × 31.4 cm、LPジャケット、個人蔵

YMO『ソリッド・ステイト・サヴァイヴァー』、一九七九年、31.4 × 31.4 cm、LPジャケット、写真：鋤田正義　個人蔵　Courtesy / Photography: Masayoshi Sukita（p. 68）

YMO《増殖》、一九八〇年、31.4 × 31.4 cm、LPジャケット、個人蔵

YMO《パブリック・プレッシャー》、一九八〇年、31.4 × 31.4 cm、LPジャケット、個人蔵

YMO《フジカセットCF映像（テクノポリス二十五時篇）》、一九八〇年、映像（カラー、音声）、一分九秒、富士フィルム

YMO《フジカセットCF映像（東京テクノポリス篇）》、一九八〇年、映像（カラー、音声）、一分二十秒、富士フィルム

YMO《フジカセットCF映像（空気篇）》、一九八一年、映像（カラー、音声）、三十秒、富士フィルム

YMO《テクノデリック》、一九八一年、31.4 × 31.4 cm、LPジャケット、個人蔵

YMO《BGM》、一九八一年、31.4 × 31.4 cm、LPジャケット、個人蔵

YMO《サーヴィス》、一九八三年、31.4 × 31.4 cm、LPジャケット、個人蔵

YMO《ナーティ・ボーイズ》、一九八三年、31.4 × 31.4 cm、LPジャケット、個人蔵

YMO《増殖人形》、二〇〇七年、各38 × 11 × 6 cm、38 × 12 × 6 cm、38 × 11.5 × 6 cm、石膏、個人蔵

B 八〇年代以前のポップとそれ以降……Pop Art: before / after the 1980s

会田誠（一九六五年—）《題知らず（戦争画RETURNS）》、一九九六年、178.4 × 272.4 cm、四曲一隻屏風（エナメル塗料・ビニール製テーブルクロス・襖・蝶番）、個人蔵、画像提供：ミヅマアートギャラリー（p. 81）

赤瀬川原平《模型千円札I》、一九六三年、7.4 × 16.1 cm、印刷物・薄クリーム上質紙、個人蔵

アンリアレイジ（二〇〇三年—、森永邦彦：一九八〇年—）二〇一一年秋冬コレクション「Low」よりアンサンブル、二〇一一年、180 × 50 × 40 cm、作家蔵、画像提供：作家（p. 82）

アンリアレイジ 二〇一六年春夏コレクション「Reflect」よりアンサンブル、二〇一六年、180 × 10 × 40 cm、作家蔵

アンリアレイジ 二〇一七年秋冬コレクション「Roll」よりアンサンブル、二〇一七年、180 × 60 × 60 cm、作家蔵

アンリアレイジ 二〇一一年秋冬コレクション「Low」＋二〇一六年春夏コレクション「Reflect」＋二〇一七秋冬コレクション「Roll」、二〇一七年、映像（カラー、音声）、九分、作家蔵

泉太郎（一九七六年—）《無題候補（虹の影が見えない）》、二〇一五年、映像（カラー、音声）、十四分十六秒、Take Ninagawa、画像提供：Take Ninagawa（p. 82）

大竹伸朗（一九五五年—）《夜景（ジャパノラマシリーズより）》、二〇〇三年、100 × 70 cm、木炭・アクリル・紙、Take Ninagawa

大竹伸朗《Cape（ジャパノラマシリーズより）》、二〇〇三年、100 × 70 cm、木炭・アクリル・紙、Take Ninagawa

大竹伸朗《Scrapbook #68》、二〇一四—二〇一六年、41 × 39 × 50 cm、作家の本（七〇四ページ）・ミクストメディア、Take Ninagawa、画像提供：Take Ninagawa（p. 77）

岡崎京子（一九六三年—）《リバーズ・エッジ》、一九九三—一九九四年、紙にプリント、宝島社（p. 84）

岡崎京子《ヘルタースケルター》、一九九五—一九九六年、紙にプリント、祥伝社

加藤泉（一九六九年—）《無題》、二〇一〇年、166 × 230 × 230 cm、木・油彩・アクリル・石・鉄、ペロタン（パリ）、Photo: Clarie Dorn ©2010 Izumi Kato. Courtesy of the Artist and Perrotin（p. 85）

加藤泉《無題》、二〇一六年、74.5 × 24.5 cm、油彩・カンヴァス、Take Ninagawa

加藤泉《無題》、二〇一七年、56 × 106 cm、油彩・カンヴァス、Take Ninagawa

加藤泉《無題》、二〇一七年、50 × 133.5 cm、油彩・カンヴァス、Take Ninagawa

金氏徹平（一九七八年—）《White Discharge（建物のようにつみあげたもの）#20》、二〇一二年、132 × 50 × 59 cm、ファウンドオブジェ・樹脂・糊、Fondation Guy & Myriam Ullens（ジュネーヴ）、画像提供：作家（p. 78）

木村恒久（一九二八—二〇〇八年）《都市は爽やかな朝を迎える》、一九七八年、40.2 × 20.6 cm、フォト・モンタージュ、東京都写真美術館

木村恒久《豚に吠える》、一九八〇年、40.8 × 28.6 cm、フォト・モンタージュ、東京都写真美術館、画像提供：東京都写真美術館（p. 75）

木村恒久 題不詳、制作年不詳、38 × 31.8 cm、フォト・モンタージュ、東京都写真美術館

草間彌生（一九二九年—）《魂がいま離れようとしている》、一九七五年、39.9 × 54.4 cm、水彩・パステル・コラージュ・紙、東京都現代美術館

草間彌生《自殺した私》、一九七七年、39.5 × 54 cm、インク・水彩・

ボールペン・コラージュ・紙、東京都現代美術館

草間彌生《戦争の津波》、一九七七年、97.5 × 78.5 cm、水彩・パステル・コラージュ・紙、東京都現代美術館

草間彌生《無限の鏡の部屋——水上の蛍》、二〇〇〇年、442.4 × 442.4 × 320 cm、鏡・金属・電球・木・アクリル板・水、Centre national des arts plastiques（パリ） ©YAYOI KUSAMA Courtesy Ota Fine Arts（p. 83）

草間彌生《放課後》、二〇〇三年、36.5 × 26 cm、ペン・水彩・ダンボール、Centre Pompidou, Musée national d'art moderne（パリ）

草間彌生《雪が解けて、春が来た》、二〇〇三年、36 × 25.5 cm、ペン・水彩・ダンボール、Centre Pompidou, Musée national d'art moderne（パリ）

荒神明香（一九八三年—）《reflectwo》、二〇〇八／二〇一七年、サイズ可変、造花・アクリル・ワイヤー、Museu de Arte Moderna de São Paulo（サンパウロ）／東京都現代美術館 ©Centre Pompidou-Metz / Photo Jacqueline Trichard / 2017 / Exposition Japanorama（p. 85）

タイガー立石（一九四一—一九九八年）《アラモのスフィンクス》、一九六六年、130.3 × 162 cm、油彩・カンヴァス、東京都現代美術館、画像提供：東京都現代美術館（p. 74）

タカノ綾（一九七六年—）《A city in which saunter dangerous wandering》、二〇〇二年、25.5 × 21 cm、インク・水彩・紙、Galerie Perrotin（パリ）

タカノ綾《Untitled》、二〇〇二年、65 × 50 cm、アクリル・カンヴァス・板、Galerie Perrotin（パリ）

タカノ綾《Milk of tender love》、二〇〇三年、162 × 131 cm、アクリル・カンヴァス、Galerie Perrotin（パリ）、画像提供：Kaikai Kiki Gallery（p. 82）

タカノ綾《Untitled》、二〇〇三年、41 × 32 cm、アクリル・カンヴァス・板、Galerie Perrotin（パリ）

タカノ綾《Untitled》、二〇一二年、21 × 29.7 cm、水彩・鉛筆・紙、Galerie Perrotin（パリ）

タカノ綾《Pervert》、制作年不詳、21 × 19 cm、インク・水彩・紙、Galerie Perrotin（パリ）

田名網敬一（一九三六年—）《Commercial War》、一九七一年、映像（カラー、音声）、四分三十秒、NANZUKA

田名網敬一《Good bye Marilyn》、一九七一年、映像（カラー、音声）、四分五十二秒、NANZUKA

田名網敬一《OH! YOKO!》、一九七三年、映像（カラー、音声）、四分、NANZUKA

田名網敬一《Untitled (Collagebook 3_06)》、一九七三年、45 × 54 cm、マーカーペン・インク・雑誌のスクラップコラージュ・画用紙、NANZUKA

田名網敬一《Untitled (Collagebook 3_07)》、一九七三年、45 × 54 cm、マーカー・インク・コラージュ・紙、NANZUKA、画像提供：NANZUKA（p. 73）

田名網敬一《Crayon Angel》、一九七五年、映像（カラー、音声）、三分、NANZUKA

田名網敬一《Sweet Friday》、一九七五年、映像（カラー、音声）、三分、NANZUKA

束芋（一九七五年—）《お化け屋敷》、二〇〇三年、サイズ可変、映像インスタレーション（二三二枚の画像）、四分（ループ）、Fondation Cartier pour l'art contemporain（パリ） ©Tabaimo / Courtesy of Gallery Koyanagi（p. 75）

できやよい（一九七七年—）《みみちん》、一九九八年、145.5 × 103 cm、アクリル・板、高橋コレクション、画像提供：ANOMALY（p. 82）

中村宏（一九三二年—）《円環列車A（望遠鏡列車）》、一九六八年、182 × 227.5 cm、油彩・カンヴァス、東京都現代美術館、画像提供：東京都現代美術館（p. 74）

蜷川実花（一九七二年—）《Tokyo 道中》、二〇一七年、映像（カラー、音声）、作家蔵、画像提供：小山登美夫ギャラリー ©mika ninagawa／六本木アートナイト二〇一七作品（p. 84）

日比野克彦（一九五八年―）《PRESENT SHOE》、一九八二年、72.8 × 103 cm、アクリル絵具・色鉛筆・墨・ジェッソ・段ボール・ボール紙、岐阜県美術館

日比野克彦《PRESENT SOCCER》、一九八二年、72.8 × 103 cm、アクリル絵具・色鉛筆・墨・ジェッソ・段ボール・ボール紙・新聞紙、岐阜県美術館、画像提供：岐阜県美術館（p. 76）

日比野克彦《SWEATY JACKET》、一九八二年、106.7 × 83 × 22 cm、アクリル絵具・色鉛筆・墨・ボール紙・プラスチック・凧糸・針金、岐阜県美術館

平田実《「洗濯バサミは攪拌行動を主張する」中西夏之》、一九六三／二〇一七年、33.5 × 22.2 cm（イメージ）、35.7 × 27.8 cm（ペーパー）、ゼラチン・シルバー・プリント、HMアーカイヴ　Courtesy of Taka Ishii Gallery Photography / Film

平田実《輝く洗濯バサミ　中西夏之》、一九六三／二〇一七年、33.5 × 22.2 cm（イメージ）、35.7 × 27.8 cm（ペーパー）、ゼラチン・シルバー・プリント、HMアーカイヴ　Courtesy of Taka Ishii Gallery Photography / Film

平田実《「閉鎖」展のジャスパー・ジョーンズ》、一九六四／二〇一七年、33.5 × 22.2 cm（イメージ）、35.7 × 27.8 cm（ペーパー）、ゼラチン・シルバー・プリント、HMアーカイヴ　Courtesy of Taka Ishii Gallery Photography / Film

平田実《ドロッピング　赤瀬川原平・風倉匠・和泉達》、一九六四／二〇一七年、33.5 × 22.2 cm（イメージ）、35.7 × 27.8 cm（ペーパー）、ゼラチン・シルバー・プリント、HMアーカイヴ　Courtesy of Taka Ishii Gallery Photography / Film

平田実《ドロッピング　風倉匠の投下》、一九六四／二〇一七年、33.5 × 22.2 cm（イメージ）、35.7 × 27.8 cm（ペーパー）、ゼラチン・シルバー・プリント、HMアーカイヴ　Courtesy of Taka Ishii Gallery Photography / Film

平田実《ポップハップのグリコおじさん　秋山祐徳太子》、一九六七／二〇一七年、33.5 × 22.2 cm（イメージ）、35.7 × 27.8 cm（ペーパー）、ゼラチン・シルバー・プリント、HMアーカイヴ　Courtesy of Taka Ishii Gallery Photography / Film

平田実《京大講堂屋上のイヴェント　万博破壊共闘派》、一九六九／二〇一七年、22.2 × 33.5 cm（イメージ）、27.8 × 35.7 cm（ペーパー）、ゼラチン・シルバー・プリント、HMアーカイヴ　Courtesy of Taka Ishii Gallery Photography / Film

平田実《「平和と愛バンザイ・万歳」の万歳党》、一九七〇／二〇一七年、22.2 × 33.5 cm（イメージ）、27.8 × 35.7 cm（ペーパー）、ゼラチン・シルバー・プリント、HMアーカイヴ　Courtesy of Taka Ishii Gallery Photography / Film

平田実《挑戦　K・M》、一九七〇―一九七一／二〇一七年、33.5 × 22.2 cm（イメージ）、35.7 × 27.8 cm（ペーパー）、ゼラチン・シルバー・プリント、HMアーカイヴ　Courtesy of Taka Ishii Gallery Photography / Film

町田久美（一九七〇年―）《訪問者》、二〇〇四年、90.6 × 116.7 cm、雲肌麻紙・墨・顔料・岩絵具、高橋コレクション　©Kumi MACHIDA, Courtesy of Nishimura Gallery（p. 82）

村上隆（一九六二年―）《Polyrhythm Red》、一九八九年、98 × 60.7 × 3.5 cm、アクリル・木板・タミヤ社製プラモデル（アメリカ歩兵三十五分の一模型）、高橋コレクション

村上隆《コスモス》、一九九八年、300 × 450 cm（三枚）、アクリル・カンヴァス・板、金沢21世紀美術館、画像提供：金沢21世紀美術館 ©1998 Takashi Murakami / Kaikai Kiki Co., Ltd. All Rights Reserved.（p. 80）

村上隆《And then and then and then and then......(Red)》、二〇〇一年、50 × 50 cm、オフセット印刷、東京都現代美術館

村上隆《Mushroom Bomb PINK》、二〇〇一年、50 × 50 cm、オフセット印刷、東京都現代美術館

やなぎみわ（一九六七年―）《Elevator Girl: Eternal City I》、一九九八年、

90 × 160 cm、デジタルプリント、FABA Fondacion Almine y Bernard Ruiz-Picasso para el Arte（ブリュッセル）

やなぎみわ《My Grandmothers: YUKA》、二〇〇〇年、100 × 100 cm、デジタルプリント、FABA Fondacion Almine y Bernard Ruiz-Picasso para el Arte（ブリュッセル）©MIWA YANAGI（p. 79）

ヤノベケンジ（一九六五年—）《スウィート・ハーモナイザー2》、一九九五年、160 × 130 × 320 cm、金属・プラスティック・繊維・香水・モーター・自動変更機、Musée d'art contemporain de Marseille（マルセイユ）

ヤノベケンジ《E.E. Pod 1》一九九六年、150 × 130 × 120 cm、ガイガー・鉄鋼・水・食品・電池ほか、Galerie Perrotin（パリ）

ヤノベケンジ《アトムスーツ・プロジェクト：チェルノブイリ原子炉》、一九九七年、100 × 100 cm、カラー写真・フレーム、撮影：Russell Liebman、Galerie Perrotin（パリ）

ヤノベケンジ《アトムスーツ・プロジェクト：大阪万博1》、一九九八年、50 × 50 cm、カラー写真・フレーム、撮影：豊永政史、Galerie Perrotin（パリ）、画像提供：ANOMALY（p. 78）

ヤノベケンジ《アトムスーツ・プロジェクト：大阪万博2》、一九九八年、100 × 100 cm、カラー写真・フレーム、撮影：豊永政史、Galerie Perrotin（パリ）

ヤノベケンジ《アトムスーツ・プロジェクト：砂漠》、一九九八年、49.8 × 59.8 cm、マット、撮影：豊永政史、個人蔵

ヤノベケンジ《ソープ・バブル・プロジェクト：ポートレイト2ブルー》、二〇〇〇年、76 × 76 × 62 cm、鉄鋼・泡・機械・プラスチック・毛、Galerie Perrotin（パリ）

山口はるみ（一九四一年—）《PARCO ポスター（パルコ感覚は遺伝するか、しないか。）》、一九七三年、103 × 72.8 cm、NANZUKA

山口はるみ《PARCO ポスター（PARCO Christmas）》、一九七三年、103 × 72.8 cm、NANZUKA

山口はるみ《シャツをつまむ手》、一九七四年、48 × 63 cm、板・アクリル、NANZUKA

山口はるみ《タートルネック》、一九七四年、43.8 × 56.5 cm、板・アクリル、NANZUKA

山口はるみ《フラワー・プリント》、一九七四年、45 × 60.5 cm、板・アクリル、NANZUKA

山口はるみ《PARCO ポスター（ワインに濡れて、麗人となりぬ。）》、一九七四年、103 × 72.8 cm、NANZUKA

山口はるみ《PARCO ポスター（ワルツに抱かれて女は酔う。）》、一九七四年、103 × 72.8 cm、NANZUKA

山口はるみ《毛皮と帽子》、一九七五年、51.5 × 61 cm、板・アクリル、NANZUKA

山口はるみ《仲良し》、一九七五年、36.4 × 51.5 cm、板・アクリル、NANZUKA

山口はるみ《額に手を》、一九七五年、51.5 × 72.7 cm、板・アクリル、NANZUKA

山口はるみ《ラブレター》、一九七五年、36.4 × 51.5 cm、板・アクリル、NANZUKA

山口はるみ《コカ・コーラ》、一九七六年、47.3 × 64.6 cm、板・アクリル、NANZUKA

山口はるみ《電話》、一九七六年、51.5 × 51.2 cm、板・アクリル、NANZUKA

山口はるみ《足ヒレで飛ぶ》、一九七七年、52.5 × 71.2 cm、板・アクリル、NANZUKA

山口はるみ《ドライヤー》、一九七七年、46.3 × 65 cm、板・アクリル、NANZUKA

山口はるみ《ふたり》、一九七七年、44 × 58 cm、板・アクリル、NANZUKA

山口はるみ《PARCO ポスター（1977 SUMMER）》、一九七七年、103 × 145.6 cm、NANZUKA

山口はるみ《PARCO ポスター（熱い冬）》、一九七七年、103 × 145.6

cm、NANZUKA

山口はるみ《アングルは上から》、一九七九年、72.7 × 51.3 cm、板・アクリル、NANZUKA

山口はるみ《氷に寝そべる》、一九七九年、59.8 × 51.5 cm、板・アクリル、NANZUKA

山口はるみ《カリビアン・サンセット》、一九八一年、46.8 × 61 cm、板・アクリル、NANZUKA

山口はるみ《PARCO ポスター（凛として女、）》、一九八一年、103 × 72.8 cm、NANZUKA

山口はるみ《PARCO ポスター（SPRING LOVES ME）》、一九八二年、103 × 72.8 cm、NANZUKA

山口はるみ《サスペンダーの水着》、一九八三年、65 × 51.5 cm、板・アクリル、NANZUKA、画像提供：NANZUKA（p. 76）

山口はるみ《PARCO ポスター（女の肌は旅をする）》、一九八三年、72.8 × 103 cm、NANZUKA

山口はるみ《赤のブルゾン》、一九八五年、51.5 × 42 cm、板・アクリル、NANZUKA

山口はるみ《ビッグ・ヌード》、一九八五年、60 × 43 cm、板・アクリル、NANZUKA

山口はるみ《PARCO ポスター（グランバザール）》、制作年不詳、103 × 72.8 cm、NANZUKA

山口はるみ《PARCO ポスター（夏は女にエトセトラ）》、制作年不詳、103 × 72.8 cm、NANZUKA

山口はるみ《PARCO ポスター（もっと美しく、もっと楽しく。）》、制作年不詳、103 × 72.8 cm、NANZUKA

横尾忠則（一九三六年—）《TADANORI YOKOO》、一九六五年、103 × 72.8 cm、シルクスクリーン・紙、東京都現代美術館

横尾忠則《オートバイ》、一九六六／二〇〇二年、53 × 45.5 cm、アクリル・カンヴァス、個人蔵、画像提供：株式会社ヨコオズ・サーカス（p. 72）

横尾忠則《花嫁》、一九六六年、53 × 45.5 cm、アクリル・カンヴァス、東京都現代美術館

横尾忠則《天井桟敷・定期会員募集　天井桟敷》、一九六七年、103 × 72.8 cm、シルクスクリーン・紙、東京都現代美術館

横尾忠則《細江英公写真展／土方巽と日本人／鎌鼬の書　新しい人へ現代思潮社》、一九六八年、103 × 72.8 cm、シルクスクリーン・紙、東京都現代美術館

横尾忠則《ヤクザ映画　戦後日本映画のひとつの流れ　草月アートセンター》、一九六八年、103 × 72.8 cm、シルクスクリーン・紙、東京都現代美術館

横尾忠則《Amazon》、一九八九年、102.6 × 72.1 cm、オフセット印刷、Centre national des arts plastiques（パリ）

横尾忠則《Céramique Rado》、一九八九年、102.6 × 72.1 cm、オフセット印刷、Centre national des arts plastiques（パリ）

横尾忠則《Fancy Danse》、一九八九年、102.6 × 72.1 cm、オフセット印刷、Centre national des arts plastiques（パリ）

横尾忠則《L'histoire de fantôme – Kaiin no uma》、一九八九年、102.6 × 72.1 cm、オフセット印刷、Centre national des arts plastiques（パリ）

横尾忠則《ポップアート　私の恋人　メゾン・ダイユール》、二〇一六年、128 × 89.5 cm、作家蔵

横尾忠則《JASRAC》、制作年不詳、103 × 72.8 cm、シルクスクリーン・紙、作家蔵

横山裕一（一九六七年—）《カラー土木》、二〇〇四年、55.6 × 78.8 cm、紙・インク、NANZUKA、画像提供：NANZUKA（p. 73）

横山裕一《カラー土木 エピソード5》、二〇〇四年、13 × 54.6 cm、紙・インク、NANZUKA

横山裕一《カラー土木 エピソード5》、二〇〇四年、23.4 × 37.6 cm、紙・インク、NANZUKA

横山裕一《カラー土木 エピソード6》、二〇〇四年、38 × 45 cm、紙・インク、NANZUKA

横山裕一《カラー土木 エピソード6》、二〇〇四年、47.7 × 62 cm、紙・インク、NANZUKA
横山裕一《カラー土木 エピソード6》、二〇〇四年、37.5 × 11.3 cm、紙・インク、NANZUKA
横山裕一《カラー土木 エピソード11》、二〇〇四年、10.7 × 53.3 cm、紙・インク、NANZUKA
横山裕一《カラー土木 エピソード11》、二〇〇四年、26.2 × 51.6 cm、紙・インク、NANZUKA
横山裕一《カラー土木 エピソード11》、二〇〇四年、25.7 × 24 cm、紙・墨、NANZUKA
横山裕一《カラー土木 エピソード11》、二〇〇四年、10.6 × 24.7 cm、紙・インク、NANZUKA
横山裕一《カラー土木 エピソード12》、二〇〇四年、16 × 39 cm、紙・アクリル絵具・インク、NANZUKA
横山裕一《カラー土木 エピソード12》、二〇〇四年、18.2 × 37.5 cm、紙・アクリル絵具・インク、NANZUKA
横山裕一《カラー土木 エピソード12》、二〇〇四年、21.5 × 41.5 cm、紙・アクリル絵具・インク、NANZUKA
横山裕一《カラー土木 エピソード12》、二〇〇四年、17.8 × 37.7 cm、紙・アクリル絵具・インク、NANZUKA
横山裕一《カラー土木 エピソード14》、二〇〇四年、37.6 × 14.7 cm、紙・墨、NANZUKA
横山裕一《カラー土木 エピソード15》、二〇〇四年、11.8 × 70 cm、紙・インク、NANZUKA
横山裕一《カラー土木 エピソード15》、二〇〇四年、9.6 × 37.3 cm、紙・墨、NANZUKA
横山裕一《カラー土木 エピソード15》、二〇〇四年、10 × 37.2 cm、紙・墨、NANZUKA
横山裕一《カラー土木 エピソード15》、二〇〇四年、11.5 × 37 cm、紙・インク、NANZUKA
横山裕一《カラー土木 エピソード15》、二〇〇四年、9.6 × 24.8 cm、紙・インク・墨、NANZUKA
横山裕一《カラー土木 エピソード15》、二〇〇四年、10.7 × 20 cm、紙・インク、NANZUKA
横山裕一《カラー土木 エピソード15》、二〇〇四年、11.5 × 9.4 cm、紙・インク、NANZUKA
横山裕一《カラー土木 エピソード17》、二〇〇四年、6.9 × 13.4 cm、紙・アクリル絵具、NANZUKA
横山裕一《カラー土木 エピソード17》、二〇〇四年、10.6 × 22.3 cm、紙・アクリル絵具、NANZUKA
横山裕一《カラー土木 エピソード17》、二〇〇四年、7 × 10 cm、紙・アクリル絵具、NANZUKA
横山裕一《カラー土木 エピソード17》、二〇〇四年、10.6 × 22.3 cm、紙・アクリル絵具、NANZUKA

C　協働、参加性、共有 …… Collaboration / Participation / Sharing

アトリエ・ワン（一九九二年―）＋筑波大学貝島研究室《もものうらビレッジ　パブリック・ドローイング》、二〇一七年、84.1 × 118.9 cm、建築ドローイング、作家蔵、画像提供：アトリエ・ワン(p. 92)
オノ・ヨーコ（一九三三年―）《グレープフルーツ》、一九六四年、13.8 × 13.8 × 3.2 cm、オフセット印刷、Centre Pompidou, Musée national d'art moderne, bibliothèque Kandinsky（パリ）(p. 89)
オノ・ヨーコ《フルックス・フィルム9：まばたき》、一九六六年、白黒フィルム（16mm）、一分、Centre Pompidou, Musée national d'art

moderne（パリ） ©Centre Pompidou-Metz / Photo Jacqueline Trichard / 2017 / Exposition Japanorama（p. 89）

オノ・ヨーコ《メンド・ピース・フォー・ジョン》、一九六八年、Bibliothèque des musées de la Ville de Strasbourg(ストラスブール)(p. 89)

ザ・プレイ（一九六七年—）《Voyage: Happening in An Egg》、一九六八年、35 × 23.5 cm、ポスター、作家蔵

ザ・プレイ《Voyage: Happening in An Egg》、一九六八年、19.7 × 13.3 cm、ポスターの背面、作家蔵

ザ・プレイ《Voyage: Happening in An Egg》、一九六八年、14.3 × 20.8 cm、海図、作家蔵

ザ・プレイ《Voyage: Happening in An Egg》、一九六八年、21 × 14.5 cm、記録写真、作家蔵

ザ・プレイ《Voyage: Happening in An Egg》、一九六八年、17.4 × 11.7 cm、記録写真、作家蔵

ザ・プレイ《Voyage: Happening in An Egg》、一九六八年、14 × 10 cm、記録写真、作家蔵

ザ・プレイ《SHEEP 京都→大阪→神戸 一九七〇 羊飼い》、一九七〇年、27.4 × 39.2 cm、ポスター、作家蔵

ザ・プレイ《SHEEP 京都→大阪→神戸 一九七〇 羊飼い》、一九七〇年、17.7 × 12.5 cm、地図、作家蔵

ザ・プレイ《THE PLAY THE BRIDGE 8.20 架橋作戦》、一九七三年、32.5 × 24.5 cm、プラン、作家蔵

ザ・プレイ《THE PLAY THE BRIDGE 8.20 架橋作戦》、一九七三年、16.1 × 24.7 cm、記録写真、作家蔵

ザ・プレイ《THE PLAY THE BRIDGE 8.20 架橋作戦》、一九七三年、17.4 × 11.3 cm、記録写真、作家蔵

ザ・プレイ《THE PLAY THE BRIDGE 8.20 架橋作戦》、一九七三年、24.7 × 16.1 cm、記録写真、作家蔵

ザ・プレイ《雷》、一九七七—一九八六年、映像（カラー、音声）、十五分二秒、作家蔵

ザ・プレイ《雷》、一九七七—一九八六年、ドキュメント資料、写真（カラー、モノクロ）、作家蔵、画像提供：作家（p. 88）

ザ・プレイ《雷1》、一九七七年、43.5 × 32cm、ポスター、作家蔵

ザ・プレイ《雷2》、一九七八年、33.6 × 45.6 cm、紙・プリント、作家蔵

ザ・プレイ《雷3》、一九七九年、29.7 × 42 cm、ポスター、作家蔵

ザ・プレイ《雷4》、一九八〇年、36.5 × 16.2 cm、ポスター、作家蔵

ザ・プレイ《雷5》、一九八一年、42 × 29.7 cm、ポスター、作家蔵

ザ・プレイ《雷6》、一九八二年、42 × 29.7 cm、ポスター、作家蔵

ザ・プレイ《雷7》、一九八三年、36.5 × 51.6 cm、ポスター、作家蔵

ザ・プレイ《雷8》、一九八四年、42.6 × 30.3 cm、ポスター、作家蔵

ザ・プレイ《雷9》、一九八五年、36.4 × 29.5 cm、ポスター、作家蔵

ザ・プレイ《雷10》、一九八六年、42 × 29.7 cm、ポスター、作家蔵

ザ・プレイ《作業室=意味の模型》、一九八一年、20.6 × 14.2 cm、プラン、作家

ザ・プレイ《作業室=意味の模型》、一九八一年、22.3 × 13.7 cm、記録写真、作家蔵

ザ・プレイ《CLOCK 七〇〇〇万年の光芒》、一九九〇年、20.8 × 29.6 cm、プラン、作家蔵

ザ・プレイ《CLOCK 七〇〇〇万年の光芒》、一九九〇年、17.5 × 11.4 cm、記録写真、作家蔵

ザ・プレイ《ラ・セーヌ 現代美術の流れ》、二〇一二年、29.7 × 42 cm、ポスター、作家蔵

ザ・プレイ《ラ・セーヌ 現代美術の流れ》、二〇一二年、15.3 × 12.4 cm、地図、作家蔵

ザ・プレイ《ラ・セーヌ 現代美術の流れ》、二〇一二年、21 × 13.4

cm、記録写真、作家蔵

ザ・プレイ《ラ・セーヌ　現代美術の流れ》、二〇一二年、21×14.2 cm、記録写真、作家蔵

塩見允枝子（一九三八年―）《エンドレス・ボックス》、一九六三／一九九〇年、8.5×15.7×15.8 cm、紙、東京都現代美術館

塩見允枝子《イヴェント小品集》、一九六三―一九六四／二〇〇五年、5×17×14 cm、紙、東京都現代美術館

塩見允枝子《スペイシャル・ポエムへの招待状》、一九六五―一九七五年、27.7×22 cm、紙（一〇種）、東京都現代美術館

塩見允枝子《顔のための消える音楽（フルックスフィルム No.4）》、一九六六年、映像、十一分十九秒、Centre Pompidou, Musée national d'art moderne（パリ）

塩見允枝子「スペイシャル・ポエム No.2『方向のイヴェント』」《フルックス・アトラス》、一九六六年、36.7×82.2 cm、シルクスクリーン・紙、東京都現代美術館、Musée d'art contemporain de Lyon（リヨン）、画像提供：東京都現代美術館（p. 88）

塩見允枝子《スペイシャル・ポエム No.3「落下のイヴェント」（a fluxcalender）》、一九六八／一九九二年、17×13.3×3.3 cm、紙、東京都現代美術館

塩見允枝子《音楽の小瓶　＃1〜＃14》、一九九三年、瓶・キャプションパネル・板・インストラクション、東京都現代美術館

塩見允枝子《V TRE n°10 FLUXUS maciuNAS V TRE FLUXUS laudatio ScriPTa pro GEoRge》、一九七六年、58.4×44.4 cm、オフセット印刷・紙、Musée d'art contemporain de Lyon（リヨン）

塩見允枝子《SHADOW EVENT NO. Y》、一九九三年、10.8×15.3×0.4 cm、SHADOW フィルム付きブックレット（ハンデルマルク版）、東京都現代美術館

島袋道浩（一九六九年―）《人間性回復のチャンス》、一九九五年、写真・プリント、作家蔵

島袋道浩《そして、タコに東京観光を贈ることにした》、二〇〇〇年、映像、六分五十六秒、作家蔵、画像提供：作家（p. 91）

田中功起（一九七五年―）《五人のピアニストがひとつのピアノを弾く（最初の試み）》、二〇一二年、HDビデオ、五十七分、作家蔵、コミッション：カルフォルニア大学アーバイン校ユニバーシティ・アート・ギャラリーズ　©Centre Pompidou-Metz / Photo Jacqueline Trichard / 2017 / Exposition Japanorama（p. 90）

田中功起《ひとつの陶器を五人の陶芸家が作る（沈黙による試み）》、二〇一三年、HDビデオ、七十五分、作家蔵　©Centre Pompidou-Metz / Photo Jacqueline Trichard / 2017 / Exposition Japanorama（p. 90）

田中功起《振る舞いとしてのステートメント（あるいは無意識のプロテスト）》、二〇一三年、HDビデオ、八分、作家蔵　©Centre Pompidou-Metz / Photo Jacqueline Trichard / 2017 / Exposition Japanorama（p. 90）

津村耕佑（一九五九年―）《ファイナル・ホーム》、一九九四年、150×150 cm、ポリエステル・ナイロン・紙、作家蔵、画像提供：作家（p. 89）

八谷和彦（一九六六年―）《M-02J（OpenSky プロジェクト 風の谷のナウシカ(宮崎駿作)作中の架空の航空機を実機として作るプロジェクト）》、二〇一六年、写真、撮影：五十地輝、PetWORKs　画像提供：作家（p. 93）

八谷和彦《OpenSky Chronicle》、二〇一七年、映像（カラー、音声）、六分、作家蔵

「みんなの家」（二〇一一年―）《災害のユートピア「みんなの家」（陸前高田）》、二〇一三年、映像（カラー、音声）、監督：Richard Copans、共同制作：ARTE France - Les Films d'ici、二十六分十秒、作家蔵

「みんなの家」ドキュメント資料、二〇一七年、320×400 cm、写真（カラー）・地図・建築情報、作家蔵　記録集）、作成：伊東豊雄建築設計事務所、画像提供：伊藤トオル（p. 92）

吉岡徳仁（一九六七年―）《Honey-pop》、二〇〇一年、83×80×74

cm、パラフィン紙、Centre Pompidou, Musée national d'art moderne（パリ）、画像提供：作家（p. 93）

ワウ・ドキュメント（二〇〇六年─）《wah27「グランドにお風呂」》、二〇〇八年、80 × 110 cm、写真、画像提供：作家（p. 93）

ワウ・ドキュメント《wah27「グランドにお風呂」》、二〇〇八年、30 × 21 cm、紙にドローイング、画像提供：作家（p. 93）

ワウ・ドキュメント《wah47「家を持ち上げる」》、二〇一〇年、32 × 21 cm、紙にドローイング、作家蔵

ワウ・ドキュメント《wah47「家を持ち上げる」》、二〇一〇年、映像（カラー、音声）、二分、作家蔵

ワウ・ドキュメント《wah55「ふねを作って無人島に行く!!」》、二〇一〇年、90 × 135cm、写真、作家蔵

ワウ・ドキュメント《wah55「ふねを作って無人島に行く!!」》、二〇一〇年、32 × 21 cm、紙にドローイング、作家蔵

ワウ・ドキュメント《wah document──アイデア会議》、二〇一七年、映像（カラー、音声）、五分、作家蔵

SANAA（一九九五年─）《金沢21世紀美術館》、二〇〇四年、模型、Frac Centre-Val de Loire（オルレアン）、画像提供：SANAA（p. 92）

D ポリティクスを超えるポエティクス ……… Poetics of Resistance

石上純也（一九七四年─）《四角いふうせん》、二〇〇七年、映像（カラー、無音）、二分五十秒、作家蔵、画像提供：作家 ©junya.ishigami+associates（p. 100）

伊藤存（一九七一年─）《浅瀬の旅行》、二〇〇〇年、90 × 135 cm、布・刺繍・板、個人蔵（p. 101）

伊藤存《よだれのきらめき》、二〇〇一年、300 × 300 cm、布・刺繍・板、高橋コレクション（東京）

小沢剛（一九六五年─）《地蔵建立──テヘラン、昭和六十三年八月二十四日》、一九八八年、24.5 × 24.5 cm、ゼラチン・シルバー・プリント、作家蔵

小沢剛《地蔵建立──伊勢神宮、平成元年四月二日》、一九八九年、24.5 × 24.5 cm、ゼラチン・シルバー・プリント、作家蔵

小沢剛《地蔵建立──板門店（北朝鮮）》、一九九二年、24.5 × 24.5 cm、ゼラチン・シルバー・プリント、作家蔵、画像提供：作家（p. 100）

小沢剛《地蔵建立──ラサ（祭り）、一九九三年八月十二日》、一九九三年、48 × 24 cm、ゼラチン・シルバー・プリント、作家蔵

小沢剛《地蔵建立──富士山、一九九五年八月九日》、一九九五年、48 × 24 cm、ゼラチン・シルバー・プリント、作家蔵

小沢剛《地蔵建立──上九一色村、一九九五年八月十日》、一九九五年、48 × 24 cm、ゼラチン・シルバー・プリント、作家蔵

樫木知子（一九八二年─）《影あそび》、二〇〇九年、102 × 173 cm、アクリル・綿布・木パネル、高橋コレクション ©Tomoko Kashiki Courtesy Ota Fine Arts（p. 98）

古賀春江（一八九五─一九三三年）《海》、一九二九年、130 × 162.5 cm、油彩・カンヴァス、東京国立近代美術館 ©Centre Pompidou-Metz / Photo Jacqueline Trichard / 2017 / Exposition Japanorama（pp. 96-97）

杉戸洋（一九七〇年─）《Connecting Man nº2》、二〇〇六年、59 × 230 cm、アクリル・紙、Sammlung Peters-Messer（ドイツ）、画像提供：Sammlung Peters-Messer（p. 101）

照屋勇賢（一九七三年─）《結い、You-I》、二〇〇二年、180 × 140 cm、顔料（紅型染め）・麻、写真：根間芳和、第一生命／沖縄県立博物館・美術館、画像提供：作家／沖縄県立博物館・美術館（p. 99）

照屋勇賢《Notice-Forest: McDonald's bag》、二〇一七年、4.75 × 7 ×

11.5 cm、紙袋、接着剤、作家蔵

中園孔二（一九八九―二〇一五年）《無題》、二〇一二年、194 × 194.5 cm、油彩・カンヴァス、東京都現代美術館、画像提供：東京都現代美術館（p. 98）

奈良美智（一九五九年―）《人面犬》、一九八九年、34.5 × 49.5 cm、アクリル・紙、高橋コレクション

奈良美智《深い深い水たまりII》、一九九五年、120 × 110 cm、アクリル・綿布、高橋コレクション

奈良美智《In the White Room II》、一九九五年、100 × 100 cm、アクリル・綿布、国際交流基金　©Centre Pompidou-Metz / Photo Jacqueline Trichard / 2017 / Exposition Japanorama（pp. 96-97）

奈良美智「In the Floating World」より《Ocean Child》、一九九九年、41.5 × 29.5 cm、木版画・フジゼロックスコピー、高橋コレクション

奈良美智「In the Floating World」より《Rescue Puppy》、一九九九年、29.5 × 41.5 cm、木版画・フジゼロックスコピー、高橋コレクション

奈良美智《サヨン（莎詠）》、二〇〇六年、146 × 112.5 cm、アクリル・カンヴァス、東京都現代美術館　©Centre Pompidou-Metz / Photo Jacqueline Trichard / 2017 / Exposition Japanorama（pp. 96-97）

福島秀子（一九二七―一九九七年）《翅》、一九五〇年、92 × 74 cm、油彩・カンヴァス、東京都現代美術館、画像提供：東京都現代美術館（p. 99）

藤本壮介（一九七一年―）《児童心理治療施設》、二〇〇四―二〇〇六年、図面・写真、作家蔵　写真 ©Daici Ano 、設計図 ©Sou Fujimoto Architects（p. 101）

マメ・クロゴウチ（二〇一〇年―、黒河内真衣子：一九八五年―）秋冬コレクション二〇一四より《Personal Memory》、二〇一四年、一部テキストを含む三セット、作家蔵（p. 101）

山川冬樹（一九七三年―）《The Voice-Over》、一九九七―二〇〇八年、700 × 700 × 400 cm（一九九七―二〇〇八年のインスタレーション・サイズ）、映像（三十五分）・コンピューター・ビデオ・プロジェクター・旧型テレビ・旧型ラジオ他、東京都現代美術館、画像提供：作家（p. 103）

Chim↑Pom（二〇〇五年―）《SUPER RAT（diorama）》、二〇〇八年、136 × 87 × 87 cm、渋谷で捕獲したネズミの剥製（五匹）・渋谷の街のジオラマ・ビデオ・モニターほか、個人蔵、写真：梅川良満、画像提供：作家、無人島プロダクション（p. 102）

Chim↑Pom《LEVEL7 feat. 明日の神話》、二〇一一年、映像（カラー、音声）、四分三十二秒、無人島プロダクション

Chim↑Pom《SUPER RAT》、二〇一一―二〇一二年、映像（カラー、音声）、二分二十九秒、無人島プロダクション

E　やわらかで浮遊する主体性・極私的ドキュメンタリー…Floating Subjectivity / Private Documentary

荒木経惟（一九四〇年―）《センチメンタルな旅》、一九七一／二〇一二年、21.9 × 33 cm（イメージ）、27.7 × 35.5 cm（ペーパー）、ゼラチン・シルバー・プリント、作家蔵　Courtesy of Taka Ishii Gallery（p. 110）

荒木経惟《センチメンタルな旅》、一九七一／二〇一二年、21.9 × 33 cm（イメージ）、27.7 × 35.5 cm（ペーパー）、ゼラチン・シルバー・プリント、作家蔵　Courtesy of Taka Ishii Gallery

荒木経惟《センチメンタルな旅》、一九七一／二〇一二年、21.9 × 33 cm（イメージ）、27.7 × 35.5 cm（ペーパー）、ゼラチン・シルバー・プリント、作家蔵　Courtesy of Taka Ishii Gallery

荒木経惟《センチメンタルな旅》、一九七一／二〇一二年、21.9 × 33 cm（イメージ）、27.7 × 35.5 cm（ペーパー）、ゼラチン・シルバー・プリント、作家蔵 Courtesy of Taka Ishii Gallery

荒木経惟《冬の旅》、一九九〇／二〇〇五年、27 × 40.6 cm（イメージ）、35 × 43 cm（ペーパー）ゼラチン・シルバー・プリント、作家蔵
Courtesy of Taka Ishii Gallery

荒木経惟《冬の旅》、一九九〇／二〇〇五年、27 × 40.6 cm（イメージ）、35 × 44 cm（ペーパー）、ゼラチン・シルバー・プリント、作家蔵
Courtesy of Taka Ishii Gallery

川内倫子（一九七二年―）「Illuminance」より《無題》、二〇〇七年、50 × 50 cm、発色現像方式印画、Meessen De Clercq（ブリュッセル）

川内倫子「Illuminance」より《無題》、二〇〇七年、101 × 101 cm、発色現像方式印画、Meessen De Clercq（ブリュッセル）、画像提供：作家（p. 114）

川内倫子「Illuminance」より《無題》、二〇〇九年、11.6 × 17.1 cm、発色現像方式印画、Meessen De Clercq（ブリュッセル）

川内倫子「Illuminance」より《無題》、二〇〇九年、11.6 × 17.1 cm、発色現像方式印画、Meessen De Clercq（ブリュッセル）

川内倫子「Illuminance」より《無題》、二〇〇九年、19.2 × 19.2 cm、発色現像方式印画、Meessen De Clercq（ブリュッセル）

川内倫子「Illuminance」より《無題》、二〇〇九年、19.2 × 19.2 cm、発色現像方式印画、Meessen De Clercq（ブリュッセル）

川内倫子「Illuminance」より《無題》、二〇〇九年、19.2 × 19.2 cm、発色現像方式印画、Meessen De Clercq（ブリュッセル）

川内倫子「Illuminance」より《無題》、二〇〇九年、19.7 × 29.7 cm、発色現像方式印画、Meessen De Clercq（ブリュッセル）

川内倫子「Illuminance」より《無題》、二〇〇九年、24.7 × 24.7 cm、発色現像方式印画、Meessen De Clercq（ブリュッセル）

川内倫子「Illuminance」より《無題》、二〇〇九年、24.7 × 24.7 cm、発色現像方式印画、Meessen De Clercq（ブリュッセル）

川内倫子「Illuminance」より《無題》、二〇〇九年、50 × 50 cm、発色現像方式印画、Meessen De Clercq（ブリュッセル）

川内倫子「Illuminance」より《無題》、二〇〇九年、101 × 101 cm、発色現像方式印画、Meessen De Clercq（ブリュッセル）

河原温（一九三二―二〇一四年）《Nov. 5, 1988》、一九八八年、66 × 91.5 × 4.5 cm、ニューヨーク・ポスト（一九八八年十一月五日号）の紙面・リキテックス・カンヴァス・カートンボックス、Centre national des arts plastiques（パリ） ©Centre Pompidou-Metz / Photo Jacqueline Trichard / 2017 / Exposition Japanorama（p. 106）

河原温《DEC 18, 1992 "TODAY" series No.46》、一九九二年、66 × 91.5 × 4.5 cm、ニューヨーク・ポスト（一九九二年十二月十八日号）の紙面・アクリル・カンヴァス・カートンボックス、Carré d'art（ニーム） ©Centre Pompidou-Metz / Photo Jacqueline Trichard / 2017 / Japanorama（p. 106）

さわひらき（一九七七年―）《Spotter》、二〇〇三年、ビデオ（白黒、音声）、七分四十秒、個人蔵、画像提供：作家、オオタファインアーツ（p. 114）

志賀理江子（一九八〇年）《螺旋海岸》、二〇〇八年―、81 × 120 cm、発色現像方式印画、作家蔵

志賀理江子《螺旋海岸》、二〇〇八年、81 × 120 cm、発色現像方式印画、作家蔵、画像提供：作家（p. 112）

志賀理江子《螺旋海岸》、二〇〇八年、104 × 160 cm、発色現像方式印画、作家蔵

志賀理江子《螺旋海岸》、二〇〇八年、54 × 100 cm、発色現像方式印画、作家蔵

志賀理江子《螺旋海岸》、二〇〇八年、94 × 125 cm、発色現像方式印画、作家蔵

中平卓馬（一九三八―二〇一五年）《来たるべき言葉のために》よりスライドショー（写真七九枚）、一九七〇年 ©Gen Nakahira Courtesy of Osiris（pp. 108-109）

中平卓馬《Untitled》、二〇〇五年、90 × 60 cm、発色現像方式印画

©Gen Nakahira Courtesy of Osiris（p. 108）
中平卓馬《Documentary》、二〇〇五年、90 × 60 cm、発色現像方式印画
中平卓馬《Documentary》、二〇〇八年、90 × 60 cm、発色現像方式印画
奈良原一高（一九三一—二〇二〇年）《王国》〈壁の中〉、一九五六／一九七七年、21.9 × 32.5 cm（イメージ）、27.8 × 35 cm（ペーパー）、ゼラチン・シルバー・プリント、奈良原一高アーカイブズ Courtesy of Taka Ishii Gallery Photography / Film
奈良原一高《王国》〈壁の中〉、一九五六／一九七七年、21.3 × 32.5 cm（イメージ）、27.9 × 35 cm（ペーパー）、ゼラチン・シルバー・プリント、奈良原一高アーカイブズ Courtesy of Taka Ishii Gallery Photography / Film
奈良原一高《王国》〈壁の中〉、一九五六／一九七七年、21.5 × 32.5 cm（イメージ）、27.7 × 35 cm（ペーパー）、ゼラチン・シルバー・プリント、奈良原一高アーカイブズ Courtesy of Taka Ishii Gallery Photography / Film
奈良原一高《王国》〈沈黙の園〉、一九五八／一九七七年、32.5 × 21.8 cm（イメージ）、35 × 27.8 cm（ペーパー）、ゼラチン・シルバー・プリント、奈良原一高アーカイブズ Courtesy of Taka Ishii Gallery Photography / Film （p. 109）
畠山直哉（一九五八年—）《アンダーグラウンド #6205》、一九九八年、49 × 49 cm（イメージ）、55 × 55 cm（ペーパー）、発色現像方式印画、作家蔵 Courtesy of Taka Ishii Gallery
畠山直哉《陸前高田／二〇一一年五月一日 米崎町堂の前》、二〇一一／二〇一五年、38 × 47 cm（イメージ）、50 × 69 cm（ペーパー）、発色現像方式印画、作家蔵 Courtesy of Taka Ishii Gallery（p. 113）
畠山直哉《陸前高田／二〇一三年十月二十日 気仙町》、二〇一三／二〇一五年、38 × 47 cm（イメージ）、50 × 69 cm（ペーパー）、発色現像方式印画、作家蔵 Courtesy of Taka Ishii Gallery
藤井光（一九七六年—）《プロジェクト FUKUSHIMA!》、二〇一一年、映像（カラー、音声）、八分十二秒、作家蔵、画像提供：作家（p. 113）
細江英公《シモン・ある私風景》より《隅田川吾嬬橋》、一九七一／二〇一二年、35.4 × 45.4 cm（イメージ）、40.3 × 50.7 cm（ペーパー）、ゼラチン・シルバー・プリント、作家蔵 Courtesy of Taka Ishii Gallery Photography / Film
細江英公《シモン・ある私風景》より《鳩の街》、一九七一年／二〇一二年、45.4 × 35.4 cm（イメージ）、50.7 × 40.3 cm（ペーパー）、ゼラチン・シルバー・プリント、作家蔵 Courtesy of Taka Ishii Gallery Photography / Film
細江英公《シモン・ある私風景》より《東雪ヶ谷希望ヶ丘商店街》、一九七一／二〇一二年、45.4 × 39 cm（イメージ）、50.6 × 40.5 cm（ペーパー）、ゼラチン・シルバー・プリント、作家蔵 Courtesy of Taka Ishii Gallery Photography / Film
ホンマタカシ（一九六二年—）《浦安マリーナイースト21、千葉県浦安市》、一九九五年、100 × 126 cm、発色現像方式印画、作家蔵
ホンマタカシ《少女1、湘南国際村、神奈川県三浦郡》、一九九五年、55 × 44 cm、発色現像方式印画、作家蔵
ホンマタカシ《駐車場、埼玉県所沢市》、一九九五年、44 × 55 cm、発色現像方式印画、作家蔵
ホンマタカシ《幕張ベイタウン、千葉県美浜区》、一九九五年、44 × 55 cm、発色現像方式印画、作家蔵
ホンマタカシ《ラブホテルUFO、千葉県美浜区》、一九九五年、44 × 55 cm、発色現像方式印画、作家蔵
ホンマタカシ《レインボーブリッジ、お台場、東京都港区》、一九九五年、44 × 55 cm、発色現像方式印画、作家蔵
ホンマタカシ《少年4、神奈川県相模大野市》、一九九六年、44 × 55 cm、発色現像方式印画、作家蔵
ホンマタカシ《湘南国際村、神奈川県三浦郡》、一九九七年、100 × 126 cm、発色現像方式印画、作家蔵

ホンマタカシ《練馬、東京都練馬区》、一九九七年、44 × 55 cm、発色現像方式印画、作家蔵

ホンマタカシ《少年1、京王多摩センター、東京都多摩市》、一九九八年、100 × 126 cm、発色現像方式印画、作家蔵、画像提供：作家（p. 107）

ホンマタカシ《少年2、東京ジョイポリス、東京都港区》、一九九八年、44 × 55 cm、発色現像方式印画、作家蔵

ホンマタカシ《少年7、千葉県浦安市》、一九九八年、55 × 44 cm、発色現像方式印画、作家蔵

松江哲明（一九七七年―）『トーキョードリフター』、二〇一一年、ドキュメンタリー・フィルム（HDカメラ、カラー、音声）、七十二分、作家蔵、画像提供：作家（p. 115）

森山大道（一九三八年―）《プロヴォーク第2号》、一九六九／二〇一七年、26.5 × 39.8 cm（イメージ）、35.4 × 42.8 cm（ペーパー）、ゼラチン・シルバー・プリント、森山大道写真財団　Courtesy of Taka Ishii Gallery（p. 111）

森山大道《プロヴォーク第2号》、一九六九／二〇一七年、26.5 × 39.8 cm（イメージ）、35.4 × 42.8 cm（ペーパー）、ゼラチン・シルバー・プリント、森山大道写真財団　Courtesy of Taka Ishii Gallery

森山大道《プロヴォーク第2号》、一九六九／二〇一七年、26.5 × 39.8 cm（イメージ）、35.4 × 42.8 cm（ペーパー）、ゼラチン・シルバー・プリント、森山大道写真財団　Courtesy of Taka Ishii Gallery

森山大道《プロヴォーク第2号》、一九六九／二〇一七年、26.5 × 39.8 cm（イメージ）、35.4 × 42.8 cm（ペーパー）、ゼラチン・シルバー・プリント、森山大道写真財団　Courtesy of Taka Ishii Gallery

森山大道《日光東照宮》、一九七七年、19.5 × 29.5 cm（イメージ）、25.3 × 30.8 cm（ペーパー）、ゼラチン・シルバー・プリント、Centre Pompidou, Musée national d'art moderne（パリ）

森山大道《新宿》、二〇〇二／二〇〇八年、55.5 × 83.8 cm（イメージ）、60.1 × 90 cm（ペーパー）、ゼラチン・シルバー・プリント、森山大道写真財団　Courtesy of Taka Ishii Gallery

森山大道《新宿》、二〇〇二／二〇一五年、84 × 55.6 cm（イメージ）、90.2 × 60.1 cm（ペーパー）、ゼラチン・シルバー・プリント、森山大道写真財団　Courtesy of Taka Ishii Gallery

指差し作業員《ふくいちライブカメラを指差す》、二〇一一年、ビデオ（カラー、音声）、二十四分四十秒、竹内公太、画像提供：SNOW Contemporary（p. 113）

HATRA（二〇一〇年―、長見佳祐：一九八七年―）二〇一一秋冬コレクションより《ASYMMETRY HOODIE》、二〇一一年、83 × 45 cm、綿、作家蔵　©Centre Pompidou-Metz / Photo Jacqueline Trichard / 2017 / Exposition Japanorama（p. 115）

HATRA 二〇一一秋冬コレクションより《FLEECE PANEL LONG JACKET》、二〇一一年、90 × 45 cm、綿・ウール・ポリウレタン、作家蔵

HATRA 二〇一一秋冬コレクションより《FLEECE PANEL PANTS》、二〇一一年、95 × 43 cm、綿・テンセル・ナイロン・ポリウレタン、作家蔵

HATRA 二〇一一秋冬コレクションより《WAVE PANTS》、二〇一一年、85 × 35 cm、テンセル・ナイロン・ポリウレタン、作家蔵　©Centre Pompidou-Metz / Photo Jacqueline Trichard / 2017 / Exposition Japanorama（p. 115）

HATRA 二〇一一秋冬コレクションより《WAVE PANTS SLIM》、二〇一一年、85 × 35 cm、ポリエステル、作家蔵

HATRA 二〇一一秋冬コレクションより《WAVE SLEEVE BAG》、二〇一一年、100 × 45 cm、ポリエステル、作家蔵

HATRA 二〇一一秋冬コレクションより《WHALE NECK WARMER》、二〇一一年、45 × 45 cm、綿、作家蔵

HATRA 二〇一二秋冬コレクションより《VT-MYNA》、二〇一二年、88 × 45 cm、ポリエステル、作家蔵　©Centre Pompidou-Metz / Photo Jacqueline Trichard / 2017 / Exposition Japanorama（p. 115）

HATRA 二〇一四春夏コレクションより《OX SHIRT HOODIE》、

二〇一四年、86 × 45 cm、綿、作家蔵
HATRA 二〇一七秋冬コレクションより《SILNECK SHIRT》、二〇一七年、90 × 42 cm、綿・ポリエステル、作家蔵

HATRA《HATRA Autumn / Winter 2011》、二〇一七年、映像（カラー、音声）、三分、作家蔵

F 物質の関係性・還元主義……Materiality and Minimalism

池田亮司（一九六六年―）《data.tron》、二〇〇七年、サイズ可変、オーディオ・ビジュアル・インスタレーション（DLPプロジェクター・コンピューター・スピーカー）、山口情報芸術センター（YCAM）、写　真：Ryuichi Maruo　concept, composition: Ryoji Ikeda, computer graphics, programming: Shohei Matsukawa, co-produced by Le Fresnoy Studio National des Arts Contemporains and Forma, 2007　©Ryoji Ikeda（p. 123）

池田亮司《the transcendental(π) [n°1-2d]》、二〇一七年、100 × 100 × 10 cm、アルミニウム・顔料プリント、galerie Almine Rech（パリ）©Centre Pompidou-Metz / Photo Jacqueline Trichard / 2017 / Exposition Japanorama（pp. 118-119）

榎倉康二（一九四二―一九九五年）《一つのしみ No.1》、一九七五年、75.5 × 106.8 cm、シルクスクリーン（廃油／単色）、東京都現代美術館

榎倉康二《無題》、一九八〇年、220 × 440 × 80 cm、油彩・綿布、個人蔵、画像提供：東京画廊（p. 122）

榎倉康二《STORY & MEMORY（P.W.-No.112）》、一九九三年、26.3 × 33.7 cm（左）、26 × 33.7 cm（右）、二点組、ゼラチン・シルバー・プリント、東京都現代美術館

榎倉康二《STORY & MEMORY（P.W.-No.113）》、一九九三年、25.5 × 33.3 cm（左）、26.1 × 34 cm（右）、二点組、ゼラチン・シルバー・プリント、東京都現代美術館

川俣正（一九五三年―）《ツリー・ハット・イン・ヴァンドーム広場》、二〇一三年、サイズ可変、木材、Centre Pompidou, Musée national d'art moderne（パリ）、画像提供：作家（p. 122）

小清水漸（一九四四年―）《Relief '80-8》、一九八〇年、各 162.5 × 97 × 6.5 cm（二点組）、木（桂）、東京都現代美術館　©Centre Pompidou-Metz / Photo Jacqueline Trichard / 2017 / Exposition Japanorama（pp. 118-119）

菅木志雄（一九四四年―）《Protrusion HZ-87》、一九八七年、153 × 125 cm、油彩・板、Gallery Yonetsu

菅木志雄《周位律》、一九九七／二〇一七年、サイズ可変、金属管・石・糸、Centre Pompidou, Musée national d'art moderne（パリ）©Centre Pompidou-Metz / Photo Jacqueline Trichard / 2017 / Exposition Japanorama（p. 125）

杉本博司（一九四八年―）「Ten Seascapes」より《Mediterranean Sea, La Galère》、一九八九年、67 × 84 cm、ゼラチン・シルバー・プリント、Musée d'art contemporain de Lyon（リヨン）©Hiroshi Sugimoto / Courtesy of Gallery Koyanagi（p. 121）

杉本博司「Ten Seascapes」より《Sea of Okhotsk, Hokkaido》、一九八九年、67 × 84 cm、ゼラチン・シルバー・プリント、Musée d'art contemporain de Lyon（リヨン）©Hiroshi Sugimoto / Courtesy of Gallery Koyanagi（p. 121）

杉本博司「Ten Seascapes」より《Mirtoan Sea, Sounion》、一九九〇年、67 × 84 cm、ゼラチン・シルバー・プリント、Musée d'art contemporain de Lyon（リヨン）©Hiroshi Sugimoto / Courtesy of Gallery

Koyanagi（p. 121）

杉本博司「Ten Seascapes」より《North Sea, Berriedale》、一九九〇年、67×84 cm、ゼラチン・シルバー・プリント、Musée d'art contemporain de Lyon（リヨン） ©Hiroshi Sugimoto / Courtesy of Gallery Koyanagi（p. 121）

杉本博司「Ten Seascapes」より《Marmar Sea, Silivli》、一九九一年、67×84 cm、ゼラチン・シルバー・プリント、Musée d'art contemporain de Lyon（リヨン）

高山登（一九四四年―）《地下動物園》（部分）、一九六九／二〇〇三年、各250×23×14 cm（七点組）、310×250×187 cm（インスタレーションサイズ）、枕木、Centre Pompidou, Musée national d'art moderne（パリ） ©Centre Pompidou-Metz / Photo Jacqueline Trichard / 2017 / Japanorama (pp. 118-119)

名和晃平（一九七五年―）《Force》二〇一五／二〇一七年、サイズ可変、ミクストメディア、Zentrum für Kunst und Medientechnologie（カールスルーエ）、画像提供：作家（p. 124）

野村仁（一九四五年―）《'moon' score》、一九七五―一九七九年、各31.1×25.5×5.5 cm（六点組）、ゼラチン・シルバー・プリント・ファイル、東京国立近代美術館

野村仁《'moon' score》、一九七五―一九七九年、φ30（LPレコード）、31.5×31.5 cm（ジャケット）、LP、東京国立近代美術館

野村仁《'moon' score 1977.1.1》、一九八一年、82.5×100.5 cm、ゼラチン・シルバー・プリント（四点組）、東京国立近代美術館

野村仁《'moon' score 1978.1.12》、一九八一年、82.5×100.5 cm、ゼラチン・シルバー・プリント（四点組）、東京国立近代美術館

野村仁《'moon' score 1979.1.1》、一九八一年、82.5×100.5 cm、ゼラチン・シルバー・プリント（四点組）、東京国立近代美術館、画像提供：東京国立近代美術館（p. 121）

野村仁《'moon' score 1980.1.1》、一九八一年、82.5×100.5 cm、ゼラチン・シルバー・プリント（四点組）、東京国立近代美術館

宮島達男（一九五七年―）《Moon in the ground no.2》、二〇一五年、17×150×150 cm、ステンレス・スチール・発光ダイオード・ICチップ・電線、SCAI THE BATHHOUSE、画像提供：SCAI THE BATHHOUSE（p. 123）

村上友晴（一九三八年―）《無題》、一九八一年、162×130 cm、油彩・カンヴァス、個人蔵、画像提供：横田茂ギャラリー ©Tomoharu Murakami（p. 120）

ヨウジヤマモト（一九七二年―、山本耀司：一九四三年―）一九九〇／一九九一年秋冬コレクション《ジャケット（ウィメンズ）》、一九九〇年、103×62×6 cm（サイズ36）、テキスタイル、ウール、Centraal Museum Utrecht（ユトレヒト） ©Centre Pompidou-Metz / Photo Jacqueline Trichard / 2017 / Japanorama（p. 120）

ヨウジヤマモト一九八九／一九九〇年春夏コマーシャルピース《シャツブラウス（ウィメンズ）》、一九八九年、サイズ36、綿、Centraal Museum Utrecht（ユトレヒト）

ヨウジヤマモト《ジャケット（ウィメンズ）》、一九八九年、テキスタイル・麻、Centraal Museum Utrecht（ユトレヒト）

李禹煥（一九三六年―）《関係項（原題：現象と知覚B）》、一九六八／二〇一七年、220×280×60 cm、鋼板・石、作家／kamel mennour（パリ／ロンドン） ©Centre Pompidou-Metz / Photo Jacqueline Trichard / 2017 / Japanorama (pp. 118-119)

*

《大阪万博アーカイヴ》、映像（カラー、無声）、『日本万国博《四十周年記念》DVD-SET』（二〇一〇年、ジェネオン・ユニバーサル）より抜粋（「開会のおことば」「広場の芸術」「生命の樹」「東芝IHI館、三井グループ館、せんい館」「イントロダクション～オープニング」）、十五分五十一秒、提供：大阪府日本万国博覧会記念公園事務所

会場風景 ©Centre Pompidou-Metz / Photo Jacqueline Trichard / 2017 / Exposition Japanorama

編者／執筆者について

長谷川祐子（はせがわ・ゆうこ）
現在、東京芸術大学大学院教授。専攻、近現代美術史、美術館学、キュレイトリアル理論。金沢21世紀美術館館長、犬島家プロジェクト・アーティスティックディレクター。批評を基盤とするキュレイトリアル実践を内外で展開。イスタンブール（二〇〇一年）、上海（二〇〇二年）、サンパウロ（二〇〇六年）、UAEシャルジャ（二〇一四年）、モスクワ（二〇一七年）、タイランド（二〇二一年）にて、ビエンナーレを単独・共同企画。日本現代美術については「ジャパノラマ」展のほか、菅木志雄、田中敦子、池田亮司、ダムタイプ、ライゾマティクス、SANAAなどの個展を企画。また主な著書に、『破壊しに、と彼女たちは言う――柔らかに境界を横断する女性アーティストたち』（東京芸術大学出版会、二〇一七年）、『キュレーション――知と感性を揺さぶる力』（集英社新書、二〇一三年）、『女の子のための現代アート入門――MOTコレクションを中心に』（淡交社、二〇一〇年）などがある。

エマ・ラヴィーニュ（Emma Lavigne）
現在、パレ・ド・トーキョープレジデント。主な展覧会企画に、「アトリエのような空――イヴ・クラインとその同時代の人々」（ポンピドゥー・センター・メッス、二〇二〇年）、第十四回リヨン・ビエンナーレ「フローティング・ワールズ」（リヨン現代美術館、二〇一七年）、第五十六回ヴェネチア・ビエンナーレ国際美術展フランス館「セレスト・ブルシエ＝ムジュノ――レヴォリューション」展（二〇一五年）などがある。

小林康夫（こばやし・やすお）
一九五〇年、東京都に生まれる。東京大学名誉教授。専攻、表象文化論、哲学。主な著書に、『《人間》への過激な問いかけ――煉獄のフランス現代哲学（上）』（水声社、二〇二〇年）、『オペラ戦後文化論』1・2（未來社、二〇一六／二〇二〇年）、『絵画の冒険』（東京大学出版会、二〇一六年）などがある。

毛利嘉孝（もうり・よしたか）
一九六三年、長崎県に生まれる。現在、東京芸術大学大学院教授。専攻、社会学、文化・メディア研究。主な著書に、『バンクシー――アート・テロリスト』（光文社新書、二〇一九年）、『アフターミュージッキング――実践する音楽』（共著、東京芸術大学出版会、二〇一七年）、『増補　ポピュラー音楽と資本主義』（せりか書房、二〇一二年）

などがある。

北野圭介（きたの・けいすけ）
一九六三年、大阪府に生まれる。現在、立命館大学教授。専攻、映画・映像理論、メディア論、現代芸術理論。主な著書に、『ポスト・アートセオリーズ――現代芸術の語り方』（二〇二一年）、『映像論序説――〈デジタル／アナログ〉を超えて』（二〇〇九年、いずれも人文書院）、『新版　ハリウッド一〇〇年史講義』（平凡社新書、二〇一七年）などがある。

三木学（みき・まなぶ）
一九七三年、奈良県に生まれる。文筆家、編集者、色彩研究者、ソフトウェアプランナー。共編著に、『キュラトリアル・ターン――アーティストの変貌、創ることの変容』（昭和堂、二〇二〇年）、『新・大阪モダン建築――戦後復興からEXPO'70の都市へ』（二〇一九年）、『フランスの色景――写真と色彩を巡る旅』（二〇一四年、いずれも青幻舎）などがある

加治屋健司（かじや・けんじ）
一九七一年、千葉県に生まれる。現在、東京大学大学院教授。専攻、表象文化論、現代美術史。主な著書に、『アンフォルム化するモダニズム　カラーフィールド絵画と二十世紀アメリカ文化』（東京大学出版会、近刊）、編著に、『宇佐美圭司　よみがえる画家』（東京大学出版会、二〇二一年）、共編著に、*From Postwar to Postmodern, Art in Japan 1945-1989: Primary Documents* (New York: Museum of Modern Art, 2012) などがある。

宮沢章夫（みやざわ・あきお）
一九五六年、静岡県に生まれる。現在、早稲田大学教授。主な著書に、『東京大学「八〇年代地下文化論」講義　決定版』（二〇一五年）、『時間のかかる読書』（二〇一四年、いずれも河出書房新社）、共編著に、『ＮＨＫニッポン戦後サブカルチャー史――深掘り進化論』（ＮＨＫ出版、二〇一七年）などがある。

清水穣（しみず・みのる）
一九六三年、東京都に生まれる。現在、同志社大学教授。専攻、現代芸術論。主な著書に、『デジタル写真論――イメージの本性』（東京大学出版会、二〇二〇年）、『陶芸考――現代日本の陶芸家たち』（二〇一六年）、『プルラモン――単数にして複数の存在』（二〇一一年、いずれも現代思潮新社）などがある。

星野太（ほしの・ふとし）
一九八三年に生まれる。現在、東京大学大学院准教授。専攻、美学、表象文化論。主な著書に、『崇高の修辞学』（月曜社、二〇一七年）、主な訳書に、ジャン゠フランソワ・リオタール『崇高の分析論——カント『判断力批判』についての講義録』（法政大学出版局、二〇二〇年）、カンタン・メイヤスー『有限性の後で——偶然性の必然性についての試論』（共訳、人文書院、二〇一六年）などがある。

エマニュエル・ドゥ・モンガゾン（**Emmanuelle de Montgazon**）
現在、インディペンデント・キュレーター、アートコンサルタント。現在、Ryoji Ikeda Studio のディレクターを務めるほか、杉本博司氏などの海外プロジェクトに携わる。パフォーミング・アーツのキュレーターとして、携わった主なプロジェクトに、「あいちトリエンナーレ」（あいち芸術文化センター・名古屋市美術館ほか、二〇一〇年）、「Une Saison Japonaise」（ポンピドゥー・センター・メッス、二〇一七—一八年）などがある。

＊

内海潤也（J.U.）　**大久保美紀**（M.O.）　**鍵谷玲**（R.K.）　**加藤杏奈**（A.K.）
黒沢聖覇（S.K.）　**鈴木葉二**（Y.S.）　**李京林**（K.L.）

翻訳
岩田智哉　**桑名真吾**　**高木遊**　**松田憲次郎**

編集協力
島田浩太朗　**原田美緒**

ジャパノラマ——一九七〇年以降の日本の現代アート

二〇二一年五月三一日第一版第一刷印刷
二〇二一年六月一〇日第一版第一刷発行

編者　長谷川祐子

発行者　鈴木宏

発行所　株式会社水声社
東京都文京区小石川二―七―五　郵便番号一一二―〇〇〇二
電話〇三―三八一八―六〇四〇　FAX〇三―三八一八―二四三七
［編集部］横浜市港北区新吉田東一―七七―一七　郵便番号二二三―〇〇五八
電話〇四五―七一七―五三五六　FAX〇四五―七一七―五三五七
郵便振替〇〇一八〇―四―六五四一〇〇
URL：http://www.suiseisha.net

印刷・製本　精興社
装釘　宗利淳一

ISBN978-4-8010-0512-9

乱丁・落丁本はお取り替えいたします。